世纪中国论坛典藏文库

超常增长：

1979—2049 年的中国经济

史正富 著

上海人民出版社

出版说明

出版作为人类思想和智慧的凝结，集聚了发明创造和社会实践的经验与成果，推动了人类文明进步。飞速发展的数字和互联网技术并未削弱出版业的这一功能，反而前所未有地促进了其创新发展。

长期以来，上海世纪出版集团始终以弘扬主旋律、引领学术思潮、关注时代命题为己任，并围绕中国发展的重大事件、重大战略决策和重大理论问题举办“世纪中国论坛”。结合2016年“世纪中国论坛”，上海世纪出版集团融合移动端、语音端等新技术，以纸电一体同步发布的方式隆重推出《世纪中国论坛典藏文库》，实现了出版方式与互联网、新技术、新模式的融合发展，表达了出版人在奉献好书的同时，努力践行社会责任、文化理想的使命追求。

《世纪中国论坛典藏文库》聚焦中国经济的长期增长主题，荟萃了诺贝尔经济学奖得主、熊彼特奖得主和中国经济学杰出贡献奖得主等中外著名经济学家的扛鼎之作，著译并重，经典闪耀。

著名经济史学家安格斯·麦迪森早在1998年出版的《中国经济的长期表现》英文版中就预言，中国可能在2015年成长为世界最大的经济体，从而恢复它在1890年之前所享有的世界经济地位。2014年，在《中国的奇迹：发展战略与经济改革》出版20周年之际，经济学家林毅夫在为图书新版撰写的长篇序言中特别指出："出乎主流经济学界预料之外的是，中国经济在此书出版后20年却基本沿着我们在书中所预测的增长轨迹前进。"

然而，中国经济自2012年增速明显减慢，国内生产总值（GDP）增长率一直处于下行趋势。经济学家们所预言的奇迹或增长赖以产生的基础是否改变？对于未来，我们是否还有足够的信心？

首届中国经济学杰出贡献奖得主吴敬琏在专著《中国增长模式抉择》第一版（2005年）中，就指出了转型、结构调整不能取得成效的很多具体原因，归结到一点，就是存在体制性障碍，核心内容就是政府仍然在资源配置中起决定性的作用，抑制或排除了市场的作用。他在第四版的序言中写道："中国在21世纪面对着两个必须解决的问题，一个是体制改革，一个是发展转型。"

无独有偶，中国经济改革研究的先驱巴里·诺顿在《中国经济：转型与增长》一书中，全面描述和评价了1949年以来的中国经济，并把中国的制度转型放在经济增长的大框架里论述，既突出了转型对中国经济增长的必要性，也突出了转型对中国经济增长的促进作用。

显然，制度转型不可能一蹴而就。诺奖得主道格拉斯·诺思和斯坦福大学教授青木昌彦在各自的经典作品《制度、制度变迁与经济绩效》与《比较制度分析》中，分别从东西方的不同视角阐释了制度的内涵，揭示了制度在经济发展和绩效中的作用。

公共选择理论的奠基者曼瑟·奥尔森的遗著《权力与繁荣》则提出了“强化市场型政府”这一分析经济增长的前沿性概念，为金融危机后的亚洲以及其他发展中国家的治理演变和经济政策提供了有用的分析框架。

对于那场起始于亚洲的金融危机，沈联涛用《十年轮回：从亚洲到全球的金融危机》一书进行了详细的解剖，并警示我们2017年可能发生的另一场全球金融危机。对于可能引发危机的高杠杆问题，瑞典的邓达德等在《新国富论：撬动隐秘的国家公共财富》一书中给出了全新的解决方案，并因此被《经济学人》和《金融时报》推荐为2015年度图书。

根据“十三五”规划的蓝图，中国经济将保持中高速增长，到2020年国内生产总值和城乡居民人均收入比2010年翻一番。2015年11月，习近平总书记提出要着力加强供给侧结构性改革，这是实现收入翻番的必由之路，其目标就是通过消除生产要素供给能力和配置效率以及全要素生产率提高的体制性障碍，消除经济运行中不平衡、不协调、不可持续的因素，一方面挖掘传统增长动能的潜力，另一方面开启新的可持续增长动能，最终实现经济增长方式的转变。正如习近平总书记指出的：“中国共产党人和中国人民完全有信心为人类对更好社会制度的探索提供中国方案。”我们将以出版更多的精品力作传播道路自信、理论自信、制度自信和文化自信，为实现中华民族伟大复兴的中国梦作出贡献。

《世纪中国论坛典藏文库》编委会

2016年7月

CONTENTS

目录

引言

过去30多年，中国式超常增长创造了史无前例的“中国发展奇迹”。回顾这一人类历史上的增长奇迹，究竟是昙花一现，还是中国为人类发展史贡献的东方智慧？展望未来，这一超常增长能否持续，又如何持续呢？

智者有言，如何解释历史，就决定了你如何选择未来。因此，回答上述问题的关键首先在于回答中国发展奇迹是如何产生的。

有人认为这归因于压低消费。过往34年，中国GDP中的消费占比约59%，投资占比约38%，相比常规市场经济国家，中国的消费占比低，投资占比高。然而，中国消费规模或消费水平的增长却是令人惊异的。同一时期，中国的社会消费总额从1979年的2 000多亿元，上升到2011年的约23万亿元。以1990年不变价计，则年均增长率高达9.0%；按人均消费计算，年均增长约7.9%，在中等规模以上的国家中名列前茅。

有人认为这是依靠过度投资。如上所述，中国的投资率确实显著高于西方发达国家，也超出东亚其他储蓄率较高的经济体。但是，以资本产出比这一综合指标来看，改革开放之初的10年，中国的资本产出比为3.38，近10年达到3.95。横向来看，这一数据并不高于一些发达国家，如美国1965年到2010年的资本产出比是5.29，其中2005年到2009年受金融危机影响，更是达到22.64；日本从1980年到2010年的资本产出比为14.69，其中2000年到2010年更是高达37.16。纵向来看，中国资本产出比虽然在提高，但并非过度投资所致，而是国家重型工业化和大规模城市化这一历史进程背后的客观经济规律的反映。随着这一阶段的深入和第三产业的成长，资本产出比将趋于稳定或微降。

也有人认为这是中国人口红利的结果。的确，中国巨大的人口规模保证了劳动力的有效供给，人口红利对中国经济增长贡献巨大。但是，人口红利同样先后作用于日本、韩国、新加坡、泰国、马来西亚、印度尼西亚、菲律宾和越南等亚洲各国，观察这些国家，不难发现其在经济发展水平方面的巨大差异，这意味着人口红利并不必然导致经济增长。

那么，中国式超常增长的根本原因何在？本书的回答是中国特色社会主义市场经济体制。

中国特色社会主义市场经济体制是一个包含了战略性中央政府、竞争性地方政府和竞争性企业系统的三维市场体制，是把中央政府的战略领导力、地方政府的发展推动力与企业的创新活力有机结合的新型经济制度。中国特色社会主义市场经济体制下特征性制度安排的形成与演进，标志着中国已初步形成一种与西方常规市场经济有着系统性差异的、新的经济制度类型。

在这样一个三维架构的社会主义市场经济中，竞争中的企业着力创新、谋求发展，是资源配置的微观主体；竞争中的地方政府通过招商引资等多种方法构造了可持续的“投资激励体系”，降低企业投资创业的投资成本，从而提高企业均衡投资水平，并通过提供类似“总部服务”的职能帮助企业突破部门官僚主义的障碍，造就了中国经济的超强投资驱动力；中央政府在制定国家长期发展战略的基础上，一方面总揽全局，把握发展与稳定的平衡，另一方面抓住全球化契机，审时度势地果断融入全球分工体系，有效吸纳了美国消费赤字、财政赤字、贸易赤字提供的“国际超常购买力”，从而为中国经济高投资和高增长创造了额外的市场机会。

正是这样一种中国体制产生的超强投资驱动力和国际市场的超常购买力，使中国的经济增长得以避免常规市场经济中必然存在的周期性经济危机，在1994年后的20年中持续高位运行，创造出超常增长与超低波动并存的奇迹。

当然，中国30多年的发展，是一个复杂的多面体。辉煌的背后也面临诸多亟待解决的问题，如所有者缺位与垄断经营、收入差距过大与收入分配不公、政府规模过大、市场失序、官员腐败、环境污染等。这些问题或是中国当前发展阶段的伴生现象，或是市场经济运行的内生结果。这些弊端的克服和解决不可能通过进一步市场化，而只能诉诸政府行政改革。如果说前30多年改革的主题是解构计划、创造市场的话，那么，下一轮改革的主题就是政府部门的组织变革和业务流程再造。

随着改革的进一步完善，新的增长阶段中，中国特色社会主义市场经济体制作为中国经济超常增长的制度基础仍将有效运行，但是，国际超常购买力随着国际金融危机的蔓延将消失殆尽。长期来看，虽然消费升级、产业升级、城镇化、信息化和农业现代化等预示着未来巨大的市场需求和发展空间，但它们只是市场经济常态运行下的需求，对应的只是市场经济的常规经济增长。如要实现前述超常增长，则需要市场体系之外的某种第三方需求。过去，它是以美元超发为基础的国际超常购买力；今后，有什么类似的长期购买力可以替代它呢？

问题的提出实际已经预示了问题的答案。一方面，市场经济的常规运行下，中国的储蓄规模必然过大；另一方面，未来增长的供给方面存在着诸多约束，从能源保障、生态环境建设，到人力资本积累和技术创新等各个领域，都需要长期巨大的资金投入。相对自然环境良好的欧美国家而言，这是打造国家基础资产所必需的“额外投资”；相对国民幸福和国家长治久安的目标而言，这是构造和谐社会必需的基础工程。可见，实现未来超常增长的关键，在于寻找到能使过度储蓄与额外投资相联结的恰当机制，从而使两方面的难题同时解决。

为此，设立综合性的国家发展战略基金就不失为一种选择，即实施对生态资产与战略性资源的长期投资，在为常规市场运行注入超常购买力的同时，建设并永续运营国家战略性基础资产。这是本书提出的关键设想。可以说，对生态建设、国土整治、能源资源、人力资本等战略性瓶颈要素的投入，即这些作为超常购买力出现的投资并不是可有可无的“公共工程”，而是中国长期发展与人民长期福祉所必需的战略性基础工程；只要运作正常，它极有可能成为回报较好的长期投资。

可以充分预期，到中华人民共和国百年华诞之时，在GDP总量和人均 GDP 上，中国都将成为世界领先国家。届时，中国特色社会主义市场经济体制必然在全球范围的制度竞争中，显示出巨大的制度优势；作为有别于西方经典模式的发展道路，它在为中华民族的伟大复兴奠定最重要的制度基础时，也为人类制度文明提供了一种可供选择的替代方案，从而为世界范围的文明和制度多样性贡献出中国智慧。有了这样的道路自信、理论自信、制度自信，中国自己的路就一定能走稳、走好！

第一章
Chapter one
超常规的中国经济增长

中国自改革开放以来持续34年的高速增长，已经成为世界经济史上的一大奇观。说它是奇观，不仅仅由于经济增速快，更为要者，中国增长道路已经突破了目前已知的发达国家工业化模式。

众所周知，现代近200年来的国家工业化，是从英国发轫并率先完成的。此后扩展至欧陆以及美、加、澳、新；在亚洲，则是日本与“亚洲四小龙”形成了本质相同的经济发展模式，其基本制度便是基于私有企业的市场经济、基于政党竞争的议会民主、基于立法博弈与程序公正的法治社会，以及基于国家(地区)利益的国际竞争。这一套制度架构之下的国家(地区)经济发展，至今仍被广泛接受为正统的、或者说是“正常”的“现代化”模式。

然而，中国自改革开放以来，却走出了一条与上述主流模式不同的发展道路。从增长速度、经济周期、政府结构功能，到收入分配与财富的社会分布等重要方面，中国经验都展现出与先发达各国不同的新特征。如果把上述先发达国家(地区)的发展模式作为“常规”的经济增长，那么，中国改革开放以来的增长就是“超常规”的。

最先发现和论述中国经济超常增长的是林毅夫教授；不仅如

此，他还从中提炼与逐步发展了“新结构经济学”。①他提出一国要素禀赋的比较优势决定该国具有自生能力的优势产业，故产业升级的前提是要素比较优势的变迁；而比较优势与优势产业的发现与成长必须基于市场内的企业竞争，但也非常需要政府在基础设施建设、优势产业甄别、产业升级的促进与引导等方面发挥积极作用。应该说，林毅夫教授的新结构经济学既揭示了诸多发展中国家盲目奉行“赶超战略”的失败教训，也论证了市场经济中政府实施发展政策的成功可能。因此，新结构经济学为理解中国发展经验提供了现代经济学的学术基础。

但是，政府如何保证甄别出来的扶持产业真的是符合比较优势、具有自生能力的产业呢？要解答这一问题，就必须理解经济制度的运行。就中国而言，就是要解读当下正在运行中的经济制度。

对于中国当下经济制度的运行，学术界的研究不多，这是因为一些主流经济学家把它当做过渡性的临时制度安排，并认为最终是要随着改革的深入“转型”成为某种西方常规的市场经济模式。在为数不多的研究中，旅美中国学者钱颖一教授与许成钢教授率先提出过中国政府的M型结构理论，即中央政府统一政治领导下的地方分权结构，促成了中国非国有部门经济及横向市场联系的发展。②钱

① 林毅夫、蔡昉、李周：《中国的奇迹：发展战略与经济改革（增订版）》，格致出版社、上海三联书店、上海人民出版社2012年版；林毅夫：《新结构经济学：反思经济发展与政策的理论框架》，苏剑译，北京大学出版社2012年版；林毅夫：《繁荣的求索：发展中经济如何崛起》，张建华译，北京大学出版社2012年版；林毅夫等：《新结构经济学文集》，格致出版社、上海人民出版社2012年版。

② 钱颖一、许成钢：《中国的经济改革为什么与众不同——M型的层级制和非国有部门的进入与扩张》，载钱颖一：《现代经济学与中国经济改革》，中国人民大学出版社2003年版。

颖一教授后来又与斯坦福大学的巴里·温加斯特教授合作，将上述地方分权思想上升为“维护市场的经济联邦制”，强调了将中央—地方权力划分制度化的重要性。[①]但是，他们没有正面解析中国政府M型结构或“经济联邦制”的实际运行过程。此后，若干学者就地方分权对经济增长以及基础设施发展、城乡差距、官员晋升、财政支出方式等具体问题的影响，进行了统计实证研究，但也未真正涉及中国当下经济制度如何实际运行这一主题。

张五常教授的《中国的经济制度》一书在这方面取得了关键性突破。[②]根据张五常教授的理论，当下中国的经济制度是基于地方竞争的分层合约制；由于地方为发展而竞争，地方政府实际上参与企业发展的引导激励、土地投入以及支持服务等具体方面，因此政府从企业取得的财政收入中就有一部分不再是“税”，而是经济学意义上的“租”。对“税”的最大化追逐意味着政府对市场运行的破坏，而对“租”的追求则会改善资源配置效率，提高市场运行水平。显然，这一理论为用现代经济学方法解释中国当下经济制度的运行提供了全新范式。

本书承接张五常教授的理论贡献，将对竞争性地方政府作为经济主体这一关键事实加以进一步深入考察，试图揭示它对政府行为方式、市场体系运行及宏观经济绩效的影响机制。在这一过程中，我们将说明中国经济超常增长的制度支撑，同时也为林毅夫教授新结构经济学中政府产业甄别问题提供有意义的微观基础。

---

① 钱颖一、巴里·温加斯特：《中国特色的维护市场的经济联邦制》，载钱颖一：《现代经济学与中国经济改革》，中国人民大学出版社2003年版。

② 这方面研究的重要文献已被收入论文集，见张军、周黎安编：《为增长而竞争：中国增长的政治经济学》，格致出版社、上海人民出版社2008年版。

中国经济增长的超常规性可以从制度安排与经济运行两大角度分析。下文即从经济运行的角度进行讨论。

从经济运行的角度来看，改革开放以来，中国的经济增长呈现出两大显著特征。

一是经济增长率前所未有。一方面，高速经济增长的时段已达34年，且多数经济学家预测这样的增长表现至少会延续到2030年。也就是说，经济高速增长的时间跨度至少将达到50年以上。这一纪录超过了迄今为止所有国家的增长纪录。另一方面，在这34年的时间跨度内，中国达到的经济增长率最高。根据中国国家统计局数据，1978—2011年的34年中，国内生产总值(GDP)平均增长率为9.98%，人均GDP增长率达8.80%。①即使被世界银行称为“奇迹”的日本及东亚其他国家和地区，它们的经济增长率也未达到中国的高度。②

二是中国经济增长的稳定程度显著高于其他国家。改革开放以来的34年中，中国不但经济增长率超越常规，同时，整个经济的周期性波动也显著低于其他国家。其实，超常规的高增长率和超低的经济波动，两者紧密相连。从数据上来看，经济波动的幅度过大，必然拉低同时段的平均增长率；在同样高速增长的经济体中，经济波动程度越大，实际的经济增长程度就越小。

---

① 国家统计局编:《中国统计年鉴2012》,中国统计出版社2012年版。

② 韩国1963—2002年GDP平均增长率为7.998%;新加坡1961—1997年为8.635%;日本1950—1973年为8.92%;中国台湾1962—1994年为9.03%;中国香港1962—1988年为8.626%。参见IMF,“International Financial Statistics”,1983,1985,1996,1997;“World Economic Outlook Database”, April 2007;中国台湾“经济计划和发展委员会”:《台湾统计资料手册·2007》,载刘霞辉、张平、张晓晶:《改革年代的经济增长与结构变迁》,格致出版社、上海人民出版社2008年版,第87页。

中国能够在超常增长过程中经历较小的经济波动，更凸显其增长经验的独特性。

中国能够成功克服常规市场经济国家屡见不鲜的周期性经济波动，从而实现超常增长，除了得益于良好的外部国际环境，根本原因在于：通过改革开放与自主制度创新，中国形成了独具特色的社会主义市场经济体制。在这一体制下，政府和市场、中央和地方基本实现了相融互动，进而产生了可持续的超常投资力。从一般经济学理论来看，这是中国在市场和政府关系的探索中取得的重大突破。

一、超常增长率

中国经济增长的超常规性首先体现在年均增长率高，过去34年的增长纪录在现代经济增长史中是史无前例的。①

一些学者对中国经济增长的超常规性心存怀疑。有学者认为很多国家也曾在较长时段内实现过经济高速增长；还有学者以中国增长过程中遇到的良好国际环境为由，来淡化中国经济增长的难度。为此，需将中国上述的增长纪录，放在具有比较意义的历史框架中进行观察与分析。在这里，有必要提出“国家工业化基本阶段”这一概念。原因在于：首先，即使是同一国家，在不同发展阶段，其增长率也应是不同的；其次，对处在经济发展前沿的国家和后发跟进的国家，也要加以区分，因为后者具有

① 参见国家统计局编：《中国统计年鉴2012》，中国统计出版社2012年版。

向前者引进技术、进行模仿，从而提高发展速度的机会。

就现代经济增长史而言，第一次工业革命时期，英国作为启动国家，处在世界经济增长的前沿；而第二次工业革命时期，美国取代了英国的地位，成为新的引领世界技术进步与经济增长的前沿国家。在这一过程中，美国及同为英国衍生国家的加拿大、新西兰、澳大利亚均实现了长期经济增长，跃居发达国家之列。第二次世界大战以后，日本与新加坡、韩国、中国台湾和中国香港等“亚洲四小龙”，通过采取赶超战略，经过较长时段的高速经济增长，相继成为高收入经济体。最后，在近几十年的全球化浪潮中，不少新兴经济体都实现了良好的经济增长，其中以印度的高速增长最值得重视。这里，我们选择几个代表性的国家与中国作一比较。

表 1.1　不同国家工业化阶段的平均 GDP 增速比较

国　别	发展阶段	相关时段	年均 GDP 增速(%)	人均 GDP 增速(%)
英　国	前沿国	1820—1870 年	2.05	1.26
美　国	跟进—前沿国	1870—1913 年	4.04	1.82
日本(1)	赶超国	1950—1973 年	8.92	7.70
日本(2)		1950—1984 年	7.20	6.09
印　度	赶超国	1990—2011 年	6.47	4.66
中　国	赶超国	1978—2011 年	9.98	8.80

资料来源：英美数据来自[英]安格斯·麦迪森：《世界经济千年史》，伍晓鹰等译，北京大学出版社 2003 年版。

日本数据来自日本统计局：“Historical Statistics of Japan—Gross Domestic Product Classified by Economic Activities—68SNA”，以 1990 年为基年。

印度数据来自 IMF，“World Economic and Financial Surveys”，October 2012。

中国数据来自国家统计局编：《中国统计年鉴 2012》，中国统计出版社 2012 年版。

显而易见，越是后发展起来的国家，其国家工业化阶段的长期增长速度就越快。英国最先开展工业革命，实现国家工业化并成为当时世界领先经济体，但其间平均增长速度按今天的标准看仍比较低，仅为2.05%；中国30多年的增长速度是其4倍强。其后，美国、加拿大、新西兰、澳大利亚等因为有了后发国家的“模仿、引进”的优势，其国家工业化期间的经济增长速度比英国显著高出一截。其中美国更是于1906年在人均GDP上超越英国，成为世界经济领导国。[①]但是，这期间美国年均增长也仅为约4%；中国与之相比，经济增长率是其约2.5倍。日本在1950年以后经历了二三十年的高速增长，曾被美国学者高呼为“日本第一”，世界银行称之为“东亚奇迹”。[②]但日本的高速增长纪录也低于中国。以1950—1973年这一短时段为例，日本人均GDP的增长率接近于中国，仅低了1.1个百分点(7.70%与8.80%)；但如果对1950—1984年这一时段进行考察(1973年后日本经济增长放缓)，则日本人均GDP的增长率为6.09%，比中国低了近3个百分点。由于日本经济1984年后进一步衰退，增长率长期低迷，如果对1950—2010年进行整体比较，则日本与中国的差距就更大了。与中国同为发展中国家的印度，自20世纪90年代初开始改革以来，经济增长速度大大加快，1990—2011年平均超过6%，与中国同被列入“金砖国家”。但中国与之相比，年均GDP增速仍高出3.51个百分点。

---

① 美国人均GDP于1906年超越英国，参见Robert Gorden，“Is U.S. Economic Growth Over? Faltering Innovation Confronts 2010”，NBER Working Paper Series，2011。

② [美]埃兹拉·沃格尔(现译名：傅高义——作者注)：《日本名列第一：对美国的教训》，谷英等译，世界知识出版社1980年版。

由此可见，不论与哪个阶段的领先国家相比，中国工业化阶段的长期增长率都是显著为高的。

下面我们再以日本和印度为例进行重点研究。

第二次世界大战以后日本经济飞速增长。实际上，日本经济现代化自明治维新以后就渐次展开。到第二次世界大战时，日本工业化水平已经达到相当程度。战争中，日本凭借自主制造的航空母舰和空军战机与美国海军激战，同时在中国与东南亚两面相持，由此可见日本当时的工业实力。战败之初，日本经济陷入严重困难，出现负增长，但朝鲜战争的爆发刺激了日本出口。战后，美国从地缘战略出发，转而开始扶持日本，加上日本本土的大部分工业生产设备基本保存下来，人力资源与管理积累继续发挥作用，所以很快从战争中恢复，1950 年之后就进入持续快速发展。①

考察日本自 1950 年到 1973 年“石油危机”之前的高速增长期，不难看出与中国改革开放以来增长过程的诸多相似性。首先是良好的国际市场环境。美国不但向日本提供了高达 20 多亿美元的支援，还对其开放国内市场。此外，在市场发挥力量的同时，日本以通产省为代表，实行政府推动的出口导向增长战略，利用当时国际大宗资源的低廉价格推动加工贸易，随后产业升级，由劳动密集型产业向重化工业过渡；在“石油危机”后原材料涨价的大背景下，又由重化工业进一步发展起汽车、电子、半导体等技术密集型产业。但是，在形成大量日本贸易盈余和

① [日]中村隆英编：《日本经济史》第 7 卷，胡企林、胡靖、林华译，三联书店 1997 年版；[日]安场保吉、猪木武德编：《日本经济史》第 8 卷，连湘译，三联书店 1997 年版；[日]小林义雄：《战后日本经济史》，孙汉超、马君雷译，商务印书馆 1985 年版。

美国贸易逆差之后，日本遇到来自美国的要求日元升值的巨大压力，形成1985年的“广场协议”，并最终导致空前的资产泡沫和1990年以来日本经济长期的低迷不振。①可见，日本在战后的高速增长也与较强的政府职能密切相关，学术界还据此引发出“发展型国家”的概念。②但是，需要指出的是，日本经济在日元升值后就陷入泡沫经济及长期停滞的陷阱，而中国则逐步化解着人民币升值的压力，开辟出可持续增长的长期前景。究其原因，中国的社会主义市场经济体制与日本的“发展型政府”模式相比，有着重大的结构性不同。所以，从长期看，即使与日本经济比较，中国改革开放以来的增长也是超常的。

当然，最具有参照意义的还是中国与印度的比较。中、印两国都是历史悠久的文明古国，同为人口与国土面积大国，虽然在过去100多年中，两国经济发展速度曾各有快慢，但到20世纪70年代末期，两国经济发展水平比较接近，差距不大；在本次全球化浪潮中又相继进行了市场导向的改革。不同之处是，印度实行议会民主的政治制度，私有化程度较高。③因此，中、印之间的长期比较更具意义。中国的改革早于印度，70年代末期就已启动，印度直到90年代初期才开展经济改革，所以中、印两国

① 关于日本经济泡沫化的分析，参见[美]辜朝明：《大衰退——如何在金融危机中幸存和发展》，喻海翔译，东方出版社2008年版。

② 关于日本政府职能，参见Chalmers Johnson, *MITI and the Japanses Mirade: The Growth of Industrial Policy, 1925—1975*, Stanford, CA: Standford University Press, 1982；关于发展型国家，参见[美]禹贞恩编：《发展型国家》，曹海军译，吉林出版集团有限责任公司2008年版。

③ Montek S. Ahluwalia, “Economic Reforms in India since 1991: Has Gradualism Worked?”, *Journal of Economic Perspectives*, Vol. 16, 2002.

的增长率差距在前期大于后期。如表 1.2 显示，即使与印度发展最好的时期，即自 1994 年以来的增长率相比，中国的年均增长率(10.08%)也比印度(6.97%)高出 3.11 个百分点。由此也可说明，中国经济的长期增长率是超常的。

二、超低的经济波动

改革开放以来中国经济的高增长率，究其直接原因，是在近 20 年的长期时段中避免了市场经济的周期性波动。观察经济发展的过程，不但要看 GDP 增长率、人均 GDP 增长率，也要关注经济增长的稳定性，即经济的周期性波动程度。市场经济中的经济运行和增长通常伴随着由繁荣、衰退、萧条、复苏所组成的景气周期。决定长期经济增长速度的不是个别或少数年份的增速，而是大多数年份的增长状况，即增长的稳定性。为了衡量经济增长的稳定性，我们采用下述三个指标：(1)极差，即最大增长率和最小增长率之间的差，表示不同年度之间 GDP 增长率的最大变动范围。(2)标准差，即增长率偏离平均增长率之偏差的平均数，用以反映某一时段中总的经济波动程度；增长率的标准差越大，则该时段中经济波动也越大。(3)相对标准差，即增长率的标准差除以平均增长率，用以表示经济波动的相对程度。同样，相对标准差越大，经济增长的波动幅度越大。

就中国改革开放以来的经济增长而言，高增长是与低波动密切相关的。这一点，通过对中国经济增长过程的不同阶段进行比较可以看出。

表1.2 中国、印度实际GDP增长率比较(1978—2011年)

年份	中国实际GDP增长率(%)	印度实际GDP增长率(%)	年份	中国实际GDP增长率(%)	印度实际GDP增长率(%)
1978	11.67		1994	13.08	6.20
1979	7.57		1995	10.92	7.35
1980	7.84	3.63	1996	10.01	7.56
1981	5.24	6.18	1997	9.30	4.62
1982	9.06	4.07	1998	7.83	5.99
1983	10.85	6.37	1999	7.62	6.90
1984	15.18	4.65	2000	8.43	5.71
1985	13.47	4.89	2001	8.30	3.89
1986	8.85	4.88	2002	9.08	4.56
1987	11.58	4.15	2003	10.03	6.85
1988	11.28	8.26	2004	10.09	7.59
1989	4.06	6.81	2005	11.31	9.04
1990	3.84	5.63	2006	12.68	9.53
1991	9.18	2.14	2007	14.16	10.00
1992	14.24	4.39	2008	9.63	6.90
1993	13.96	4.94	2009	9.21	5.88
			2010	10.45	10.09
			2011	9.29	6.84
平均值	9.87	5.07	平均值	10.08	6.97
最大值	15.18	8.26	最大值	14.16	10.09
最小值	3.84	2.14	最小值	7.62	3.89
标准差	3.73	1.51	标准差	1.80	1.81
相对标准差	37.64%	29.80%	相对标准差	17.84%	26.01%

注：标准差：总体各单位标志值与其平均数离差平方的算术平均数的平方根。

相对标准差：标准差除以算术平均数，再乘以100%。

资料来源：中国数据来自国家统计局编：《中国统计年鉴2012》，中国统计出版社2012年版。

印度数据来自IMF，“World Economic and Financial Surveys”，October 2012。

由图1.1可以看到，中国自1978年以来，经济增长总体上保持相对稳定、连贯，其中有3个年份受特殊事件影响增长较慢（1981年为调整之年，增长约5%；1989年、1990年受政治风波影响，增长率分别为4.06%和3.84%）。除这3年外，其他年份GDP年度增长都在6%以上。与改革开放前相比，改革后的增长与经济波动都显著变好。①然而，仔细观察后不难看到，20世纪90年代中后期对于中国经济增长而言，有着特别的意义。1992年14.24%的增长率是一个顶点，此后开始下降，直到1999年7.62%的低点，7年中中国经济增长率每年减少约1个百分点。此后便一路上扬，在2007年回升到14.16%，2008年虽受国际金融危机的冲击，增长率仍然保持在9%以上，并直至2011年。

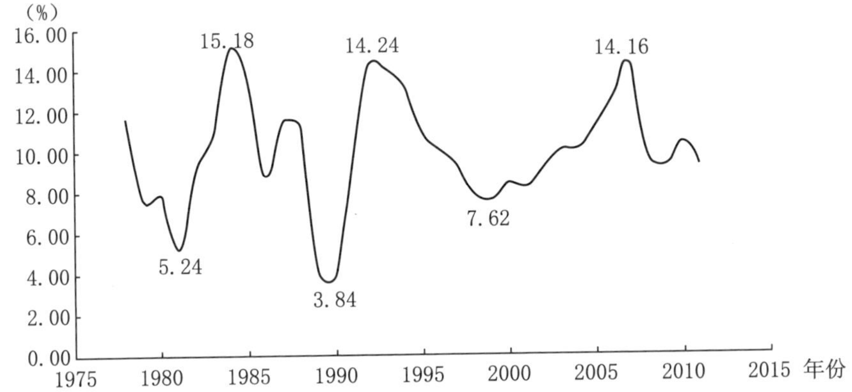

图1.1 中国实际GDP增长率态势(1978—2011年)

资料来源：国家统计局编：《中国统计年鉴2012》，中国统计出版社2012年版。

---

① 刘霞辉、张平、张晓晶:《改革年代的经济增长与结构变迁》,格致出版社、上海人民出版社2008年版。

简言之，经过1992—1999年的过渡，中国经济从2000年起进入高增长通道，直到2011年基本以年均增长9%以上超常高位运行。这种现象实属罕见，其背后的意义尚待探究。

值得强调的是，中国经济这一时段的持续高位运行，恰好对应了中国特色社会主义市场经济体制的形成和完善。1992年邓小平发表"南方谈话"，带动了中国经济新一轮改革与发展的热潮，连续5年增长率超过10%。然而，此时体制上的"双轨制"仍广泛存在，尚未形成经济长期稳定增长的制度基础。同时，在当时生产力水平不高的情况下，已经发生了较严重的产能过剩，国内经济学界普遍认为中国已从过去的"短缺经济"转向"过剩经济"。[①]在此背景下，经过相当深刻的思想解放与理论交锋，[②]1992年，中共十四大确立了社会主义市场经济体制的改革目标；1993年11月，中共十四届三中全会通过《关于建立社会主义市场经济体制若干问题的决定》，围绕建立社会主义市场经济体制的改革目标，统筹设计与推进各项改革举措。[③]其中最为主要的，包括市场化改革提速，分税制与地方分权，国有企业战略重组与大批中小国企改制，外汇体制改革与汇率管制，直至加入世界贸易组织(WTO)。这一系列重大改革得以突破重重困

① 短缺经济，是匈牙利经济学家科尔内教授(Janos Kornai, 1986)对传统苏联型中央集权的计划经济的概括，强调当时苏联型体制下所有物品普遍短缺、凭票/凭关系供应的状况。到20世纪90年代初期，中国由于初步的市场改革，在还有短缺产品的同时，也发生了许多产品过剩的情形，引起经济学界的广泛注意。

② 凌志军等以"交锋"为书名，翔实记载了当年这一思想交锋的历程。参见马立诚、凌志军：《交锋：当代中国三次思想解放实录》，湖北人民出版社2008年版。

③ 关于1993年后改革总体设计问题，参见吴敬琏：《当代中国经济改革》，上海远东出版社2004年版，第70—81页；《吴敬琏自选集(1980—2003)》，山西经济出版社2003年版，第156—189页。

难，在较短时期内相继推动到位。至21世纪初，以加入WTO为标志，中国特色社会主义市场经济体制框架基本形成。在这一市场体制下，企业成为相对独立、自主经营、自谋发展的市场微观主体。同时，地方政府也一定程度上成为企业之外的以谋求地方发展为目标的另一市场主体。由此，地方政府与企业共同参与、中央政府整合调控的中国式市场体制成为资源配置的基本力量，从而推动中国经济进入持续高速增长的轨道。这一阶段，中国经济从1992—1994年的超高增速中实现“软着陆”，并经受住1997年亚洲金融危机的冲击，转向新的增长。即使通盘考虑1994—2011年的17年，中国经济增速除了1997年亚洲金融危机后两年略低于8%以外（分别是1998年7.83%和1999年7.62%），其他年份的增速均超过8%。

因此，1994年至21世纪初中国特色社会主义市场经济体制的基本形成，极大地改变了1978年改革开放以后的经济增长形态。其最重要的改变在于，在保持了超常增长的同时，经济波动大大减轻。由此，以1994年社会主义市场经济体制各项配套改革方案全面展开作为标志性年份，1993年之前为从传统计划经济向社会主义市场经济的过渡时期，1994年以后为社会主义市场经济形成与完善的阶段。表1.3显示出这两大阶段经济增长形态的重大差别。

由此可见，就平均经济增长率而言，1994年之前的体制转型期与1994年起的新体制运行期相比，平均GDP增长率差别微乎其微（9.87%与10.08%）；但就经济增长的稳定性而言，两个阶段的差别之大则一目了然。1978—1993年的改革过渡期，其间

表1.3 中国经济增长阶段比较(1978—2011年)

	1978—1993年	1994—2011年
平均GDP增长率(%)	9.87	10.08
最大增长率(%)	15.18	14.16
最小增长率(%)	3.84	7.62
极差	11.34	6.54
标准差	3.73	1.80
相对标准差	37.64%	17.84%

资料来源：根据《中国统计年鉴2012》中数据计算所得。

并无重大外部冲击，但出现了以1981年、1986年、1990年3个谷底分布的3次经济震荡；尤其是1984—1990年期间，年增长从15.18%跌至3.84%，峰谷间的极差达到11.34个百分点，不能不说是大起大落。相比之下，1994—2011年虽然受到1997年亚洲金融危机与2008年开始的国际金融危机两次重大外部冲击，但由于社会主义市场经济体制已基本形成并正常运行，所以比较有效地避免了国民经济的巨幅波动。其间增长最快的2007年为14.16%，而最低的1999年也达到7.62%，峰谷间的极差只有6.54个百分点。如果以衡量两个阶段波动幅度的统计量标准差来看，则1978—1993年为3.73，比1994—2011年的1.8高出一倍多。

由上可见，中国经济的增长率超高与经济波动超低，其实是密切相关的。长时期中平均增长率的高低并不取决于某几个年份的高度，而是取决于达到高增长率及低增长率的年份多少。中国经济过往30多年的成功之处，正是在于持续连贯的高位运行；尤其是1994年以后，即使增长率降到最低时也在7%以上。试想，如果像改革开放前那样，冲高时可超过20%，大跌时又会降到负增长，平均增长就不会高。因此，改革开放以来中国经济增长的直接原因正是由于经济周期的不同。可以说，中国取得超常增长的关键在于，突破与化解了常规增长模式下经济的周期性波动，实现了长时段高位运行与不间断的高速增长。

同样，比较中、印的经济波动表现也很能说明问题。从前表1.2可以看到，中、印之间平均增长率存在着显著差距，同时，中国的经济波动程度也明显低于印度。印度的经济改革虽然提升了其平均增长率，但是，其没有像中国一样避免常规市场经济中的周期性波动。

印度的经济改革稍早于中国社会主义市场经济体制各项配套改革方案全面展开的1994年。1994—2011年，印度GDP平均增长率从1980—1993年的5.07%提高到6.97%，显示出经济改革在提升其增长速度方面的成效；但是，1994年以后印度经济波动的程度没有改善。

尤其是面对1997年亚洲金融危机与2008年开始的国际金融危机两次重大外部冲击，中、印两国经济的表现差距明显。1997年亚洲金融危机后，中国的GDP增长率仅在1998年、1999年两个年份跌落至略低于8%，第三年就恢复到8%以上，此后一直保持高速增长；而印度则经历了历时6年的大幅波动，1997年其GDP增长率从7%以上跌落至4.62%，到2001年跌落至最低的3.89%，2003年才恢复至6%以上。同样，此后的国际金融危机使得印度经济增长率在2009年又一次跌落至6%以下，而中国则保持了9%以上的增长。可见无论是危机爆发时的抵御能力，还是危机冲击后的恢复能力，中国都强于印度。

从统计指标看，因为中、印两国的平均增长率不同，我们用相对标准差而不是极差和标准差来衡量两国经济的波动特性。相对标准差衡量经济波动相对于均值的百分比，因此，在比较经济增长率明显不同的国家的波动程度时，相对标准差是个更客观的指标。以过去30多年作为整体考量，印度经济增长率的相对标准差或经济波动程度明显高于中国。如果以1993年为界划分两个阶段，则1993年之后的阶段与1993年之前的阶段相比，中、印两国经济波动程度的差距就更大。其中，1978—1993年，中国经济增长率高于印度，但经济波动程度也相对比印度高(此间中国的相对标准差为37.64%，印度1980—1993年为29.8%，相差近8个百分点)。但是，1994年后情况发生变化，中国社会主义市场经济体制不仅再一次提高了平均GDP增长率，更使得经济增长的稳定性大大提高。1994—2011年，中国经济增长率的相对标准差下降了近20个百分点，为17.84%，而印度的相对标准差则略微下降至26.01%。中国的经济波动程度从高于印度近8个百分点变成低于印度8个多百分点，这是一个巨大的成就。从这个意义上说，1994年以前，社会主义市场经济体制尚未到位，不能有效抵消市场萧条；而在1994年后，随着社会主义市场经济体制的形成，市场经济中常见的周期性下行力量在中国被有效消解，而印度则未明显改观。因此，印度经济发展的持续力一如以往，中国则全面超越了市场常态，实现了超常增长。

三、快速的消费增长与效率提升

中国经济的长期高速增长也带来了社会消费水平的快速提升与经济效率的持续改进。目前社会与公共媒体经常说中国经济超常增长的原因在于高投资、高浪费与牺牲消费，这是一个误解。

事实上，在过去34年的经济发展过程中，高GDP增长、高投资增长与高消费增长是同步发生的。前表1.1及本书附表1显示，1978—2011年中国GDP年均增长9.98%，投资年均增长10.92%；而消费年均增长同样高达9.15%，即使按人均消费增长计，也达到年复合增长率7.99%的高水平。可以说，在长达34年的时期中，实现人均消费按年均7.99%的速度增长，在世界经济史上是绝无仅有的成就。

那么，为什么许多人都把中国经济的成功归因于低消费呢？可能是因为他们将GDP中的消费占比和消费水平两者混淆了。的确，中国GDP中的消费占比是相对较低的，整个34年平均为59.56%，而西方市场经济国家通常在75%以上。但是，消费占比低并不等于消费水平低。恰恰相反，消费占比较低意味着投资率（资本形成）较高，投资规模较大；而投资规模较大则带来较高的GDP增长率；在GDP增长快速的条件下，即使消费占比较低，它所对应的绝对消费水平也可能是快速增长的。设想一下，假如中国过去34年的消费与投资占比改为市场经济常态那样，即消费占比75%以上，投资占比25%以下，那么情况会怎样呢？

首先，年增长率会降低到与印度相若或略高的水平，比如7.5%，那么，2012年中国的GDP就不是51万多亿元，而是25万亿元左右，消费水平就不是现在的30万亿元（51万亿元乘以59.56%的消费率），而是降为18.75万亿元（25万亿元乘以75%以上的消费率）。就是说，较低消费率与较高投资率带来的是消费水平的高速增长，而较高消费率与较低投资率所导致的则是较低长期消费水平。这也是投资、增长与消费的辩证法。

问题是，高投资率是有风险的：如果它不能带来高增长，而是带来产能过剩与经济危机，从而产生高浪费，那就是大问题了。中国的成功之处就在于，通过发挥中国特色市场经济的体制优势和对国际超常购买力的战略性开发，避免了大规模生产过剩的经济危机，实现了经济的持续高位运行与超常增长。正因为如此，整个超常增长过程中的投资效率相当正常，而劳动生产率则大幅提高。我们知道，衡量投资效率的综合指标是资本产出比，即每单位GDP增长所需的投资额。表1.4显示了中、美、日三国的资本产出比。

中国1978—2010年这33年的资本产出比为3.92，其中1978—1987年这前10年为3.38，2001—2010年这后10年为4.10。这一指标意味着什么呢？横向比较，美国1965—2010年的资本产出比是5.29，日本1980—2010年的资本产出比为14.69。可见，与美国、日本比，中国改革年代的投资效率是相对较好的。纵向比较，中国的资本产出比从早期的3.38上升到近期的4.10，即每1元GDP增长所需的投资从3.38元增加到了4.10元，每单位GDP增长所需投资额确实增大了。

表 1.4 中、美、日三国资本产出比

国家	年份	GDP 增加额	投资增加额	资本产出比
中国（亿元人民币）	1978—1987	10 580.675	35 790.233	3.383
	1988—1997	25 712.718	100 214.162	3.897
	1998—2007	92 688.768	369 707.698	3.989
	2001—2010	93 978.211	385 006.938	4.097
	1978—2010	**128 982.161**	**505 712.094**	**3.921**
美国（10 亿美元）	1965—1974	1 268.40	5 207.20	4.105
	1975—1984	1 968.00	7 229.60	3.674
	1985—1994	2 242.60	10 014.50	4.466
	1995—2004	3 977.00	17 198.30	4.324
	2005—2009	440.00	9 961.50	22.640
	1965—2010	**9 692.10**	**51 269.10**	**5.290**
日本（10 亿日元）	1980—1989	154 660.38	966 275.52	6.248
	1990—1999	50 352.95	1 301 008.18	25.838
	2000—2010	33 069.60	1 228 984.64	37.164
	1980—2010	**238 082.93**	**3 496 268.34**	**14.685**

注：在资本产出比的计算中，由于当年投资能在何时产生效益难以测度，为简单起见，就用 10 年期总投资和滞后一年的 10 年期总 GDP 增加来计算一个 10 年平均的资本产出比。资本产出比还有其他测算方法，这里主要关注一个经济体在较长时期内的总体表现。

资料来源：中国数据来自国家统计局编：《中国统计年鉴 2012》，中国统计出版社 2012 年版。其中实际 GDP 与实际投资均以 1990 年不变价计。

美国数据来自 BEA，“GDP and Other Major NIPA Series，1929—2012：II”，August 2012。其中实际 GDP 与实际投资均以 2005 年不变价计。

日本数据来自 IMF，“World Economic Outlook Database”，October 2012。其中实际 GDP 以 2005 年不变价计，实际投资以投资率乘以不变价 GDP 计算得来。

详细数据见本书附表 2、附表 3、附表 4。

如何理解这一情况？能否以此断言中国经济的投资效率在下降呢？从经济发展的一般理论来看，不能这样说。这是因为，在国家工业化深入推进时，轻工业为主的产业结构让位于重化工业为主的产业结构是一个客观规律。马克思在《资本论》中就提出过资本有机构成提高的规律，[①]说明在资本积累进程中，用于不变资本即厂房、设备、材料等生产资料的这部分比例会不断提高，而用于可变资本即劳动力的这部分比例则会不断降低，从而全社会总产出中的投资品比例上升，消费品比例下降。马克思之后，西方经济学中也有同样论述，只是马克思说的资本有机构成提高，变成了资本密集型技术取代劳动密集型技术。现在来看，资本有机构成的提高，或说投资品比例的提高，作为客观经济规律是有历史阶段性的，主要反映了第二次工业革命进程中的历史趋势。随着信息革命的到来和第三产业的兴起，社会经济总量中的投资与消费构成会再度变化。消费占比会逐步上升，而投资占比则会逐步下降。这一点，在中国近两年也已初现端倪。

总之，中国过往34年的投资效率是不错的，总的状况比美、日要好；资本产出比略有上升的变动趋势反映了工业化的客观规律。因此，大规模持续投资的结果是全社会基础设施的革命性变化和劳动生产率的大幅提高。如图1.2所示，1978—2011年中国全社会的劳动生产率从0.16万元/人跃升至1.94万元/人，增长了约11倍。可见，虽然劳动力的丰富供给为中国经济增长提供

---

① 参见马克思：《资本论》第1卷，人民出版社2004年版，第7篇。

了人口红利，但劳动生产率的提高所彰显的“效率红利”才是真正精彩的。

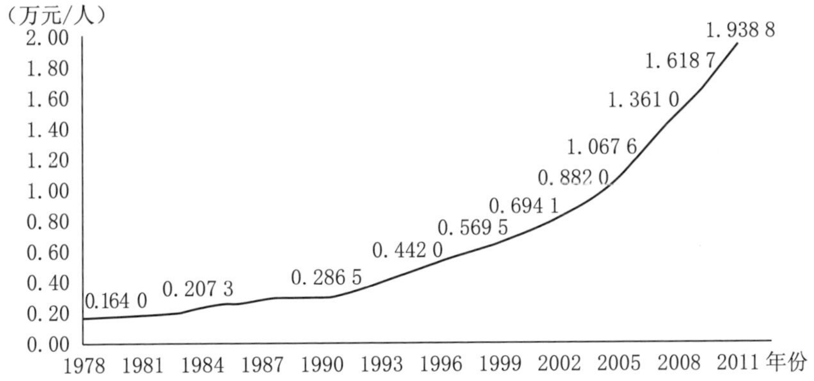

图 1.2　中国劳动生产率的提高（1978—2011 年）

注：劳动生产率计算：实际 GDP 除以就业人数，其中 1979 年、1981—1984 年、1986—1989 年就业人数为估值。

资料来源：国家统计局编：《中国统计年鉴 2012》，中国统计出版社 2012 年版。

四、市场经济的周期性危机

上述分析说明，中国经济其实是创造了高投资、高增长、高消费三者并存的超常成就；而究其直接原因，则是因为实现了国民经济的长期高位运行，避免了常规市场经济中不可避免的周期性经济危机。

中国为什么能在 1994 年以后的长时段中避免经济的周期性波动呢？ 为此，有必要厘清：常规市场经济中为什么会有周期性经济波动？

综观古典政治经济学以来关于经济周期的理论，大体可以从供给与需求两方面加以说明。[①]从供给方面说，经济运行一旦正常，投资与需求增长互相促进，自然引导经济增长加快，从而到达繁荣的阶段。这是市场运行内在的自然现象。但是，到了经济繁荣的高点，产业利润率便开始转为下降。其原因在于：第一，经济繁荣的时候投资随之增加，导致产能扩张；产能扩张导致投资品价格上涨，令投资成本上升，从而使投资回报率下降。第二，繁荣阶段也是市场过热的时候，过热导致生活资料价格上涨，同时对劳动力的需求增加，引起工资上升。其结果是总的生产成本提高，从而降低利润率。

从需求方面说，繁荣阶段是工资收入上升最快的时候，因此消费随之增长。但按照凯恩斯边际消费理论，此时边际消费倾向降低。这是因为收入增长会带动消费增长，但新增收入中的消费比例会低于原有的消费比例。这就意味着消费增长慢于收入增长，收入中的储蓄比率上升与储蓄规模扩大均快于收入增长。

总之，在繁荣阶段，需求方面是储蓄率提高、消费率下降，即消费需求不足；而在供给方面，恰是成本上升、利润率下降之时。因此，投资动机减弱，造成储蓄大于投资的趋势，即投资需求不足。其结果，总需求小于总供给；繁荣阶段扩大了的产能形成过剩，产品供大于求，价格下降，全面的通货紧缩发生，于

① 这里概括的经济周期理论，主要包括马克思、哈耶克、凯恩斯等代表不同视角的经济学家的观点；所论及的问题是指3—5年一次的短期经济波动，不包括重大技术革命等因素引发的长周期，即所谓康德拉季耶夫周期。本书关于经济周期理论的简要说明，主要参见马克思的《资本论》（人民出版社2004年版）、哈耶克的《物价与生产》（上海人民出版社1958年版）、凯恩斯的《就业、利息与货币通论》（中国社会科学出版社2009年版）等。

是经济整体上从繁荣转向衰退与危机。

当然，繁荣时期通常发生的信用扩张可能延缓衰退的到来，但银行体系最终也将面临回收贷款的压力，因此充其量只能延缓而不能避免经济衰退的必然来临。而且，银行信用扩张越大，在危机到来时的经济下跌就越重。恩格斯曾经精练地概括：

> 自从1825年第一次普遍危机爆发以来，整个工商业世界，一切文明民族及其野蛮程度不同的附属地中的生产和交换，差不多每隔十年就要出轨一次。交易停顿，市场盈溢，产品大量滞销积压，银根奇紧，信用停止，工厂停工，工人群众因为他们生产的生活资料过多而缺乏生活资料，破产相继发生，拍卖纷至沓来。停滞状态持续几年，生产力和产品被大量浪费和破坏，直到最后，大批积压的商品以或多或少压低了的价格卖出，生产和交换又逐渐恢复运转。步伐逐渐加快，慢步转成快步，工业快步转成跑步，跑步又转成工业、商业、信用和投机事业的真正障碍赛马中的狂奔，最后，经过几次拼命的跳跃重新陷入崩溃的深渊。如此反复不已。①

可以说，周期性经济衰退是市场经济与生俱来的产物。自英国工业革命把欧美经济带入现代资本主义起，经济周期便如影随形，与其不离不弃。表1.5显示出主要市场经济国家部分经济周期。

---

① 恩格斯：《反杜林论》，载《马克思恩格斯选集》第3卷，人民出版社1995年版，第626页。

表 1.5 主要市场经济国家部分经济周期比较

国别	相关时段	经济周期	危机年份
英国	1816—1870 年	9 次	1816、1819、1826、1832、1837、1840—1842、1848、1857、1866
美国	1870—1904 年	4 次	1873、1882、1893、1903
日本	1950—1973 年	3 次	1954—1958、1965、1971
	1974—1990 年	2 次	1974、1980—1983
印度	1990—2011 年	5 次	1990、1997、2001、2009、2011
中国	1978—1993 年	3 次	1981、1986、1990
	1994—2012 年	0 次	

资料来源：英国数据来自 Broadberry and O'Rourke，*The Cambridge Economic History of Modern Europe*，Vol. I，1700—1870。

美国数据来自樊亢等编著：《主要资本主义国家经济简史》，人民出版社 2001 年版。

日本数据来自日本统计局："Historical Statistics of Japan—Gross Domestic Product Classified by Economic Activities—68SNA"，以 1990 年为基年。

印度数据来自 IMF，"World Economic and Financial Surveys"，October 2012。

中国数据来自国家统计局编：《中国统计年鉴 2012》，中国统计出版社 2012 年版。

有趣的是，每当现代市场经济经历较长年份的繁荣之时，总会有人，包括政治家、学者、评论家，跑出来宣称"经济周期的终结"；但每一次出现这类短视的喧闹后不久，危机便会如期而至。最近的例子就是在 21 世纪初，美国经济凭借信息产业及格林斯潘宽松货币政策连续 8 年强劲增长，一时引发种种盲目乐观的论点，其中最为突出的就是"新经济已宣告经济周期的消失"。结果，不久就发生了 2002 年互联网泡沫的破灭，纳斯达克股市崩溃，一口气从 5 048.62 点跌至 1 108 点，埋下了日后美联储转向房地产实施信用扩张的种子，直至次贷危机引发国际金融危机，至今未能康复。

每次经济危机带来的都是现有社会生产力的破坏。在古典形态的经济危机中，过剩产品遭到倾销或者浪费，过剩产能遭到闲置、毁损或者废弃，从而为新的一波增长创造条件。但是，在现代国家干预的资本主义下，由于宏观扩张性政策与金融市场的泡沫制造能力相结合，极大地拖延了危机爆发的时间。其结果是，当泡沫最终破灭、危机终于来临时，社会经济面临的是更为深重的打击。想想美国过去十来年里互联网泡沫破灭与房地产崩溃两次灾难中，有多少企业毁于一旦，多少产业投资项目报废损毁，实在是骇人听闻！这也就是为什么美国单个企业投资有效而社会总的资本产出比居高不下的根本原因。而当泡沫破灭、产业衰败之时，也是全社会遭殃之时。美国白宫预算办公室前主任斯托克曼在《纽约时报》上写道：

> 在过去13年中，美国家庭在2000年互联网泡沫破灭之时损失了5万亿美元，又在2007年房地产崩溃时损失了超过7万亿美元。我预计，近来的华尔街泡沫也会在未来几年之内破灭。这次的华尔街泡沫是靠美联储恶意发行大量空头货币吹起来的，基础并不是真正的经济增长…… 美联储乞灵于未曾用过的激进措施，开始大肆印钞。然而，大量增加的流动性不但没有刺激银行贷款或者企业支出，反而一直被困在华尔街的深渊之中，正在发酵成又一轮无法持续的泡沫 。这轮泡沫一旦破裂，美国银行将不会再得到

像2008年那样的新一轮救援方案。相反,美国将会堕入一个零和紧缩与恶性政治冲突交织的时代,就连目前这种经济增长的微小残痕也会消失殆尽。①

故此,现在的问题是,周期性经济危机究竟是市场经济的普遍特征,还是西方"常规"市场模式的特征? 中国过去30多年的发展经验,更新了我们对经济周期理论的认识基础。

五、中国克服周期性经济危机的实践

简言之,导致繁荣终结、衰退开始的力量,一是供给方面,繁荣带来了生产与投资成本上升;二是需求方面,收入较快增长带来的边际消费倾向下降;两者互动,造成总的有效需求不足。由此推断,中国经济在近20年的时段中基本避免了繁荣的中断,其秘密一定在于找到了解决上述两大周期性下行力量的办法。

事实正是如此。中国经济自1994年以来克服繁荣转向衰退的周期波动,大幅度地延长了经济繁荣的周期,实现了持续高速增长,其原因可以从供给与需求两个方面寻找。供给方面,中国改革形成的社会主义市场经济体制,到20世纪90年代中期业已到位并进入正常运行。中国特色社会主义市场经济体制具有

---

① 戴维·A.斯托克曼(David A. Stockman)是密歇根州共和党前国会议员,曾在1981年至1985年期间担任罗纳德·里根(Ronald Reagan)总统的预算办公室主任,最近著有新书《大变形:美国资本主义的腐败》(*The Great Deformation: The Corruption of Capitalism in America*)。原文刊登于《纽约时报》2013年4月4日。

抑制经济繁荣时成本上升的内在能力，能够提高企业界持续投资的意愿与强度，从而使中国经济具有超强投资驱动力。需求方面，由于中国比较坚定地扩大对外开放，特别是加入WTO，全面参与全球经济一体化，持续稳定地提升了国际贸易规模和贸易盈余，用国际市场的有效需求抵消了国内需求的不足。由于国际购买力对于中国而言是外在的，可以称之为“第三方购买力”或“超常购买力”。

综上所述，中国经济过去30多年的超常增长，一是由于中国独特的市场经济体制下，存在着比常规市场经济更为强大持久的投资驱动力，形成超越短期经济下滑的持续高投资现象；二是国际上超常购买力的存在使中国通过大量贸易盈余，实现了过剩产能的有效利用，即中国经济借助国际市场出现超常购买力的战略机遇，通过构建非常规的独特市场经济体制及战略，实现了超常规的持续高速增长。因此，对于中国经济自1994年以来平均10%以上的高增长率，可以分解为两个部分：一是常规市场经济正常的增长率，二是中国特色社会主义市场经济体制产生的超额增长率。这个超额增长率部分，大抵可从两个方面衡量：一是贸易盈余占GDP的比重。1978—2011年中国GDP中的贸易盈余占比为1.93%，其中1994—2011年为3.78%。①二是以印度等作参照。如前表1.2所示，印度经济1994—2011年的平均增长率由于改革的成功而提升到6.97%，而中国经济同期平均增长率为10.08%。比印度平均增长率高出的部分约为3%，也恰好

① 国家统计局编:《中国统计年鉴2012》,中国统计出版社2012年版。

大致相当于同期中国外贸盈余的部分。因此，大略地说，中国改革开放以来30多年超常增长中，包含着由体制与战略产生的超额增长率约为2%，其中1994年后则达到3%。

总之，中国经济打破常规市场周期的力量，实现超常增长，在供给方面是“中国特色市场经济”产生的超强投资驱动力，在需求方面则是由此次全球化过程出现的“国际超常购买力”。下文将分别论述“中国特色市场经济”与“超常购买力”这两大驱动中国经济超常增长的力量。

第二章 Chapter two
中国特色市场经济与超常投资力

如前所述，从供给方面看，中国超常增长的制度基础是中国特色社会主义市场经济体制，笔者将其称为“三维市场体制”。①关于三维市场体制主题的探讨将另文展开，此处仅从经济增长的角度，说明这一中国特色市场经济体制产生超常投资力的机制。

一、竞争性地方政府与三维市场体制

所谓“三维市场体制”，是相对于西方国家常规市场经济体制而言的。②简言之，在常规市场体制中，有两大经济主体，即

---

① “三维市场体制”这一用语最早是笔者于2008年5月提出的。当时笔者应邀在美国康奈尔大学以“China's Reform as Indigenous Institutional Innovations”为题，就中国经济体制改革进行演讲。该演讲后以“史无前例30年:中国发展道路的政治经济学”为题，收录于笔者主编的《30年与60年——中国的改革与发展》(格致出版社、上海人民出版社2009年版)。

② 这里主要关注西方国家经济制度的共性。事实上，虽然同为市场经济，但在具体制度安排上，尤其在政府与企业的关系、收入分配体系、工人参与企业管理、公共财政的结构与运行等重要方面，西方发达国家存在着多种多样、实实在在的不同，学术界向来就有美英“盎格鲁—撒克逊模式”、德法“莱茵模式”、北欧“斯堪的纳维亚模式”、“东亚模式”等市场经济类型的划分。这也说明，即使市场经济的中心区，也仍存在着因国情而异的不同模式选择。这一问题的研究，可参见[英]戴维·柯茨(2001):《资本主义的模式》; Shonfield(1965), *Modern Capitalism*; Hall and Soskice(2001), *Varieties of Capitalism*; Richard Whitley(1992a), *Business System in East Asia* 及(1992b), *European Business System* 等。

政府和企业，两者的关系构成市场经济的主轴。在中国经济现存体制当中，除中央政府和竞争性企业两大主体外，还存在一个经济主体，即竞争性的地方政府体系，如图2.1所示。

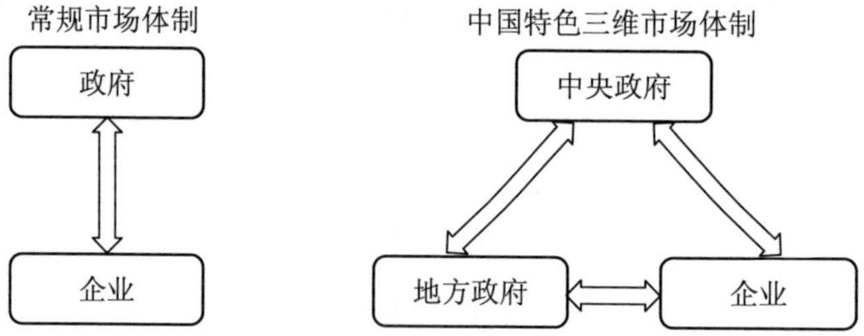

图2.1　两种市场经济体制的主体结构

当然，许多市场经济国家也有地方政府，但这里强调的是中国的地方政府与众不同。它们不但是“政府”，也是实实在在的经济主体。在中国，地方政府作为一个竞争性的经济主体系统，和竞争性企业所构成的主体系统几乎具有同等重要的地位。

为何说中国的地方政府是内生于经济系统的微观经济主体呢？主要原因有四点：一是有动力。由于财政包干与1994年以后的分税制，地方政府成为本地区经济剩余的分享者，因而产生了推动本地经济发展的强大动力。二是有压力。中国地方政府之间存在着广泛的竞争，竞争产生了进步的压力。三是有权力与资源。由于改革开放，中央政府给予地方政府比较广泛的政策制定与执行的自主权；而且国有资产、土地升值、地方融资平台等制度条件使得地方政府拥有操作经济发展的资源。四是有管理地方发展的能力。就如同在战争中学习战争一样，地方政府在过去管理地方经济的过程中，提高了管理与调控地方经济的能力。

以下对上述几点展开进一步说明。

一是分税制与追求发展的动力。按照常规市场经济的经验，在现代经济增长过程中，政府的主要功能是宏观调控以及制定产业政策。而地方政府作为全国性政府体系中的一个层级，不具备制定宏观政策的权力，其主要作用在于执行中央政府的决策。因此在常规市场经济体制中地方政府的作用并不明显，最常见的职能是提供地方公共服务。改革开放以后，中国地方政府的职能发生了巨大的变化。早年财政包干的政策，又在一定程度上刺激了地方政府发展本地经济的积极性；而 1994 年以后实行的分税制，在制度规则上比较稳定地建立了地方政府与中央政府分享税收的运作方式。此次分税制改革把税收分为中央固定收入、地方固定收入及由中央与地方共享收入三大类。①这样，地方政府对于在本辖区经济发展过程中所能分享的收入部分，有了比较稳定和清晰的预期，从而行为方式趋于稳定。在经济学的文献中，马克思把追求剩余价值称为资本家永恒的经济动力；在新制度经济学中，人们用剩余索取权描述同一现象。②现在中国的地方政府对于辖区内企

① 关于财政改革与分税制，参见楼继伟：《中国三十年财税改革的回顾与展望》，载吴敬琏等主编：《中国经济 50 人看三十年——回顾与分析》，中国经济出版社 2008 年版；许善达：《我所经历的财税改革的回忆片断》，载吴敬琏等主编：《中国经济 50 人看三十年——回顾与分析》，中国经济出版社 2008 年版。关于财税改革的理论分析，参见杨志勇、杨之刚：《中国财政制度改革 30 年》，格致出版社、上海人民出版社 2008 年版。

② 关于“剩余价值”，在马克思（1867）的原意中，有指陈资本剥削劳动者的意义；而“剩余索取权”是产权经济学（Demsetz and Alchian, 1972）的说法，只就企业经营成果的分解结构之权属而言。两者语词不同，反映了立场差别；但作为商品价值的数量构成而言，说的是一回事。所以于光远教授（1979）曾建议用“价值剩余”一词来指陈社会主义经济对这一问题的解析。关于对马克思价值理论的现代扩展，参见史正富：《现代企业中的劳动与价值：马克思价值理论的现代拓展》，上海人民出版社 2002 年版。

业的所有收入，扣除成本费用之后，余额部分便按照一定的规则由企业、地方政府和中央政府分享。因此，地方政府成为辖区经济剩余总额的固定分享者。在这个意义上，地方政府成为拥有稳定企业收益分享权的经济主体。对此，张五常教授指出，这一政府收入不是“税”，而是经济学意义上的“租”。①因此，如同企业对于市场份额和利润的追求一般，地方政府有着来自体制内的强大而持久的增长动力。

二是竞争产生的压力。一般认为中国政府是一个集权型的组织，干部由上级任命，下级向上级负责，政府科层体系间是领导与被领导的关系。但是中国政府的体系庞大，纵向看是层级关系；而横向看，又是并列关系。在改革开放阶段，中央政府对不同地区采取的是分权考核的管理体系，对地方发展既给动力又加上压力；省级政府对下属的地/市级政府也采取同样方针，鼓励地区间竞争。而且，在宏观层面上，中央政府提倡发展是硬道理，把经济发展的主要指标作为考核政绩的重要依据。由此造成的结果是，不同地区的地方政府不论级别高低，都成为平等的竞争者。一个省份的县级政府可以与另一个省份的地级政府甚至省级政府直接竞争，这是改革开放以后形成的特色。今天，横向看中国政府，两三千个县级政府和几百个地、市级政府都在追求本辖区内的经济发展，这就使得竞争成为一个普遍的现象。例如江苏昆山，在改革开放的背景下，从一个普通的县级单位，迅速成长为一个经

---

① 参见张五常:《中国的经济制度》,中信出版社2009年版。张五常教授关于中国政府收入中一个部分是“租”不是“税”的论述,对于重新认识社会主义市场经济中政府的属性,具有革命性的意义,但尚未引起足够的重视。

济规模超过很多地级市，甚至直逼部分副省级城市的经济体。[①]其中一个重要的原因在于它利用毗邻上海的地缘优势，在招商引资上采取更积极的态度、更优质的服务与上海直接竞争，把许多原本打算落户上海的外商吸引到了昆山，使得昆山成为全球规模最大的电子信息产业基地。一个县级市与直辖市的竞争，足以表明中国地方政府之间竞争的真实与深刻。大量事实表明，这种地方政府间的竞争，较之企业间的竞争，虽然形式与手段不尽相同，但其深度、强度则毫不逊色。[②]

三是地方政府推动本地发展的权力和资源。就资源而言，除了一般性的财政收入外，中国的地方政府还有西方国家地方政府所不拥有的资源。首先，1949 年之后中国逐步积累起国有企业的资产。[③]沿海地区的国有企业在改革开放之前就形成了一定的

---

① 根据昆山市统计局公布的《2011 年昆山市国民经济和社会发展统计公报》显示：2011 年全市地区生产总值达到 2 432.25 亿元；形成了 1 个千亿级产业集群和 11 个百亿级产业集群，其中千亿级集群 IT 产业（通信设备、计算机及其他电子设备）实现工业总产值 4 516.26 亿元；全年新增内资企业 8 119 家，注册资金 249.47 亿元；全年批准外资项目 387 个，注册外资 32.46 亿美元。在“台湾电子电机同业公会”公布的大陆地区投资环境评估中，昆山连续 3 年排名“综合实力极力推荐城市”第一；在福布斯中国大陆最佳县级城市排行榜上，昆山连续 3 年位居第一，连续 7 年位列中国中小城市科学发展百强榜首。作为人口仅有 200 万的县级市，昆山 2011 年的 GDP 总量超过了南宁、太原、乌鲁木齐、珠海等。

② 为什么地方政府之间也存在如此强烈的竞争？张五常教授在为纪念中国改革 30 年而作的《中国的经济制度》（中信出版社 2009 年版）一书中对中国地方间竞争的经济学解释，使用了“租（rent）”这一概念。在笔者看来，这本书是对正在形成中的中国特色政治经济制度有奠基意义的经济学理论概括。关于同一话题，也有其他的理论概括。如许成钢教授、钱颖一教授（1993）的 M 型层级理论，周黎安教授（2007，2008）的“政治锦标赛”模型等。张军教授与周黎安教授编的《为增长而竞争：中国增长的政治经济学》（格致出版社、上海人民出版社 2008 年版）一书，收录了关于这一问题的一些主要文献。

③ 根据中国财政杂志社编辑出版的《中国会计年鉴 2011》，2010 年全国国有企业资产总额为 640 214.3 亿元。

规模，随着市场化改革的深入，尤其是过去15年间持续的经济增长，国有企业发生令人印象深刻的成长。地方政府拥有的国有企业的估值也相应倍增。如诸多地方国有酒厂从几千万元的价值发展到几亿元、几十亿元，甚至产生像茅台这样千亿元级市值的企业。①更不要说从事房地产、城投的企业，甚至在太阳能、光伏产业中，都产生了地方政府所持股份实现几十倍增值的案例。其次，土地开发方面形成的土地财政，构成了地方政府另一项重大资源。由于土地公有的历史条件，农业用地转化为城市工业用地和商住用地，本身就含有一次超大的增值。这种由于土地性质转变引起的价值增值，与当事人对土地的经营关系不大，可以称为“土地价值的原始增值”。按照土地价值的一般经济学常识，一国的工业化、城市化与中产阶级化的发展程度越高，则土地原始增值的幅度就越大。在中国过去15年城市化、工业化快速发展的背景下，土地原始增值的规模得到了跨越式的增长。地方政府通过土地运作，主导一级市场的土地开发，既为招商引资创造了物质条件，又为地方财政积累了巨额的可用资金。再次，在国有资产和土地财政的基础上，又演化出地方政府投融资平台，地方政府逐步像投资型企业一样，成为资本运作的经济主体，并且在实践过程中积累了越来越多的经验。目前越来越多的地方政府开始利用现代金融的各种工具，包括银行、信托、股权投资、基金、上市等，管理地方政府的资产负债。

就地方发展的自主权而言，与普遍认为的高度集权相反，中

---

① 根据上海证券交易所公告，贵州茅台(600519)按2001年上市当日35.55元的收盘价计，市值为62亿元；上市10年后，其市值突破2 000亿元。

央政府制定的政策往往比较原则、抽象，实际上在政策的制定、反馈与执行上为地方政府留下微调空间。由于目前中国在人事、财务及行政管理方面仍处于初级阶段，所以地方政府在收入流程的决定、预算的编制和推行、政府官员的选拔和任用、项目的操作和管理等方面获得的自主空间远超想象。这些自主权使得它在推动本地发展的决策效率、执行效能上，具有很大的余地。

四是地方政府管理经济发展的能力。目前公共媒体关注较多的是政府官员的腐败现象与官僚主义，官员形象也往往与开会念讲稿、发言讲套话等相联系。这使得多数人严重低估了中国地方政府官员的能力和水平。实际上，中国地、市级地方政府官员的能力和水平是极为优秀的。竞争是学习最重要的动力。由于上述横向竞争的存在，“干中学”成为政府官员提升自己的必由之路，地方政府成为干部能力培养的“大学校”。现在多数政府官员都有正规高等教育的背景，同时在任职的过程中必须一步一个台阶，经历不同职位、级别的锻炼，在职务升迁的过程中要接受包括不同级别党校和正规院校的培训，甚至到国际知名大学进修。更为重要的是，目前中国地方政府官员面临的直接挑战超乎想象。他们虽然受政府体系各种规定和法律的约束，不如企业家自由；但在很多时候，他们需要像企业家一样面对竞争，应付从政治学习、突发事件处置到常规商业谈判等各种挑战。招商引资在本质上是特种类别的商业行为，地方融资平台的管理从本质上说具有现代金融的特征。这一类新的经济现象出现之初，人们由于了解不多而容易犯错，但随着实践经验积累，地方政府官员得到了锻炼提升。可以说，现在的地方政府官员在处理企业破产重组、谋划区域发展、操作大型项目、统筹调度资源、考核评价项目、管理人员等方面进行的实践，早已超过商学院教科书和现有经济理论的范围，积淀了相当宝贵的中国因素。这是一个值得总结开发的知识与人才的宝库。依靠不断优化进步的干部队伍，中国的地方政府才得以在内部竞争驱动、外部竞争压力的推动下，利用改革开放创造的条件，成为中国经济增长的重要推动力量。

综上所述，中国的地方政府拥有双重身份。一方面，它是政府科层体系中的层级，履行社会管理等各种政府职能，以体现其公共事务管理者的身份；另一方面，它又有内在动力和资源从事地区发展谋划、投资创业、扶持企业、推动经济发展等，以体现其地区发展管理者的身份。就其后一身份而言，地方政府构成的竞争性主体系统和企业构成的竞争性系统，既相互依存，又相互独立。这一包含竞争性地方政府系统的特殊市场经济，即“三维市场经济”。

公共事务管理职能和地方发展管理职能构成了地方政府的两大任务体系。为适应这种职能上的扩大，地方政府的组织结构也相应地发生变化，形成包含纯公共事务部门和经济管理部门两大类既有联系又有明确分工的机构设置。除了行政、公安司法、文教卫生管理等公共事务部门外，地方政府中还有更大量的在编和不在编的机构和人员，他们的全部职责就是服务地方经济的发展。地方政府的这一部分往往组织得像一个公司，其压倒一切的任务就是吸引更多的资本、技术和企业来到本地发展，以创造更多的GDP、更多的就业、更多的税收。这可以说是中国现象和中国特色。

二、地方投资激励与投资水平

由于地方政府的经济活动，使得企业系统的某些行为与之互动，自然导致市场运行规则的变化。与常规市场经济相比，中国三维市场经济在运行过程中具有诸多新的特征，这里仅就其对投资水平的影响作简要说明。

（一）高于常规的投资率

地方政府的投资激励制度使得中国企业的投资规模显著高于常规市场经济中的企业投资水平。地方政府为了促进发展，除了对地方基础设施进行投资外，还为企业投资创业提供一整套投资激励安排。

例如地价优惠，即在政府统一制定地价的条件下，地方政府为引进企业提供低于市场价格的土地，其形式包括地价减免，或以未来的税收冲抵当前地价，或采取先征收后返还的方法，实际降低企业的用地成本。对于特别重要的企业，这类地价优惠可达免费甚至为负值的程度。

又如对设备、技术采用直接财政补贴。若引进企业急需引进先进技术，或需投资价值较大的先进生产设备，地方政府可为此提供直接财政补贴，以激励企业采用新技术、新设备。比较典型的例子是LED及半导体芯片产业中，各地区相继采取单台设备补贴制度。

除上述举措外，地方政府也会向引进企业提供配套的股本投资或金融支持。对于具有良好发展前景却缺少资金的引进高新企业，地方政府通常主动帮助企业进行融资；有时，地方政府会作为“劣后受益人”直接进行股权投资，用承诺承担大部分风险的态度吸引外部投资者；或在企业创立初期、风险较高、前途不甚明朗的情况下，提供部分投资资金，而当企业发展成熟后，再转让所持股权、完成退出，随后继续将这部分资金用于下一轮扶持中小企业发展的投资。

除此之外，地方政府还协调组织企业招聘，帮助企业引进员工，尤其是运用综合性优惠措施引进高级人才；为企业提供政策支持，帮助安排银行对接，促进企业获得金融贷款；甚至帮助企业组织关键原料，开拓市场，处理经济纠纷等。所有这些行为，都降低了企业项目投资的成本。

当然，不同企业获得的帮助各不相同，这取决于多种因素，如该地区经济发展的阶段、地方政府对招商引资的需求强度、引进企业的产业先进程度、企业对地方经济的拉动作用、地方政府的财政情况等。从了解到的部分案例来看，地方政府的投资激励占企业总投资的比例差距较大。从较低的10%，到较高的20%—30%，个别企业甚至可以从政府获得初始投资所需的大部分资金。

总之，中国企业创业的投资成本中有相当一部分来自地方政府给予的投资激励，因此，中国企业的投资成本显著低于常规市场经济条件下的企业投资成本。而按照经济学常识，企业的投资规模取决于投资收益和投资成本。在投资收益给定的情况下，投资成本的下降，意味着投资规模的提高。

图 2.2 描述了上述的情况。图 2.2a 显示常规市场经济条件下的投资规模，MC_1 代表企业边际投资成本，向下倾斜的曲线为给定的边际投资收益水平，两者交于点 E_1，其对应的投资规模即横轴上的 I_1。图 2.2b 显示中国市场经济体制下的投资规模。由于中国企业投资成本低于常规市场中的企业投资成本，我们将其投资成本曲线置于常规市场经济条件下企业投资成本曲线的下方，即从 MC_1 降至 MC_2。由图所示，由于边际投资成本曲线的下移，使得相交的边际投资收益向右下方移动，即从 E_1 到了 E_2，其对应的投资规模也由 I_1 增加为 I_2。这表明，在地方政府的投资激励下，企业投资成本降低，投资规模增加。企业投资规模的提高反映在宏观体系中，就是国民经济中投资率的上升。因此，可以认定，中国经济自改革开放以来长期保持高投资率，一部分是由于储蓄率较高，另一方面内生于地方政府投资激励体系。

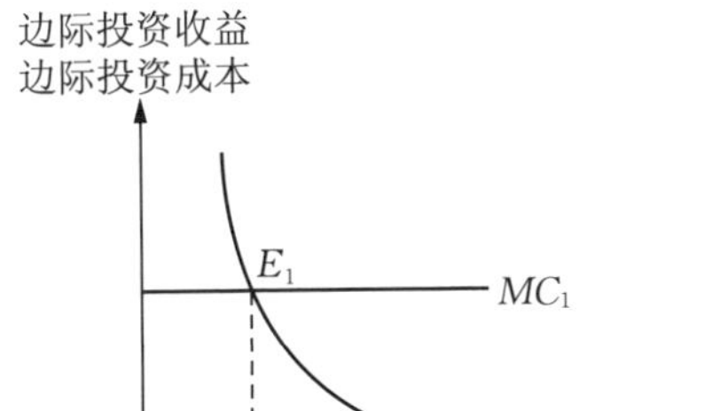

图 2.2a 常规市场经济条件下的投资水平

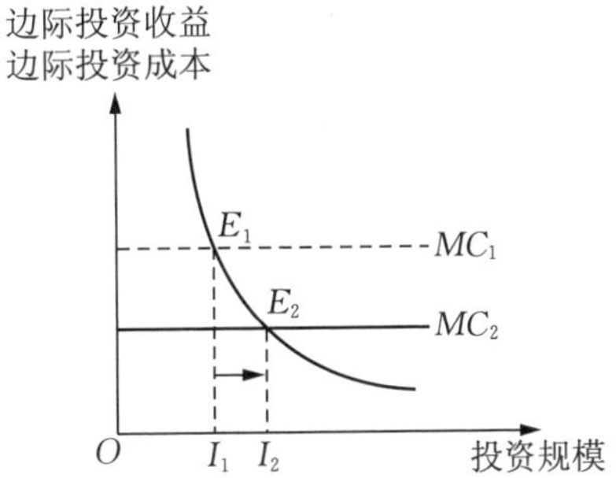

图 2.2b 中国市场经济体制下的投资水平

需要指出的是，地方政府的投资激励往往具有反周期的作用。在正常情况下，地方政府招商引资、吸引企业到本地区创业，提供的投资激励是常规的。但是，当宏观经济不景气，尤其是受到外部冲击导致经济滑坡、企业面对生存困境时，地方政府从维持本地经济发展的基础考虑，往往与企业感同身受。为此，它们有更强烈的解决经济问题的动机。举例来说，由于中国经济体制的整体性，一旦遭遇危机，从中央政府到省级政府均会推出相应的激励政策。因此，地方政府通常会在此时加大对企业的扶持力度。又由于地方政府拥有较大的自主空间，使得不同地方的政府可以根据自身情况，提出有特色的、各不相同的解救方案。同时，各地地方政府之间在此种困难时刻往往也更愿意互相关注、互相借鉴。例如，2007年开始席卷美国的次贷危机导致全球经济放缓时，中国从南到北都有各种纾困措施与政策出台。一个著名的案例就是浙江首创的政府参与的特殊贷款项目，即政府部分出资，引导银行配套大部分资金，组成特殊的贷款包，向指定的企业进行纾困贷款。政府承诺，在这个纾困贷款中如果发生债务危机，用政府配套资金首先承担坏账风险。这样就促使银行体系扩大了对受困企业的支持。另外，有些地方推出减少税费等各种与纾困相关的财政支持。还有些地方政府利用组织优势，帮助企业推销产品、组织资源。总之，各级地方政府的纾困相关政策措施相继出台，使得政府的投资激励具有反周期的特色。

（二）较低的交易费用

地方政府为企业提供的综合性支持服务，有助于降低中国企业运行中的交易费用。地方政府为促进发展，通常会为辖区内企业提供综合性服务，类似于西方大企业总部为其分(子)公司提供的总部服务。经验观察表明，这些政府支持性服务有助于降低企业运行的广义交易费用。诺贝尔经济学奖得主科斯教授与威廉姆森教授提出并阐述了交易费用的概念，成为当代经济学中发展很快的一个领域。①这里所谓的“交易费用”，直接是指交易各方为达成交易，进行合约的制定、谈判、签署和执行全过程所发生的费用。由于交易各方存在的追求自身利益最大化的“机会主义”及环境的不确定性，合约从谈判到执行都存在着极大的风险，涉及的费用不容小觑。实际上，按照新制度经济学家的估算，美国经济中的交易费用占国民收入的比例很高，而且呈现明显的不断增长的趋势。②考察一下目前美国律师、审计、公关/咨询、评级等行业的巨大规模，现代市场经济中的交易费用之庞大可见一斑。

在美国经济学中，交易费用往往被用于分析企业跟企业打交道时产生的费用。但是，企业运行过程中不仅要和企业打交

---

① Ronald H. Coase, “The Nature of the Firm”, *Economica*, Vol. 4, No. 16:386—405, 1937(中译文:[美]罗纳德・哈里・科斯:《企业的性质》,载《企业、市场与法律》,盛洪、陈郁译校,格致出版社、上海三联书店、上海人民出版社 2009 年版);Oliver E. Williamson, *The Economic Institutions of Capitalism*, New York: Free Press, 1985(中译本:[美]奥利弗・E. 威廉姆森:《资本主义经济制度——论企业签约与市场签约》,段毅才、王伟译,商务印书馆 2009 年版)。

② 参见 J. Wallis and D. North, “Measuring the Transaction Sector in the American Economy, 1870—1970”, in S. Engerman and R. Gallman (eds.), *Long-Term Factors in American Economic Growth*, Chicago: University of Chicago Press, 1986, pp. 95—161;[美]埃里克・弗鲁博顿、[德]鲁道夫・芮切特:《新制度经济学:一个交易费用分析范式》,姜建强、罗长远译,上海三联书店、上海人民出版社 2006 年版。

道，还要和各种非企业的主体打交道，比如社区、居民、劳工、监管部门等。我们可以把企业间的交易费用称为第一种交易费用，而把企业与非企业主体打交道的成本称为第二种交易费用。经验表明，中国地方政府往往成为第二种交易过程的内在主体，并扮演多重角色。当企业上项目需要土地时，它不用像西方国家的企业那样，依靠律师与众多的土地所有者一个个讨价还价；而是依靠政府，通常由政府先把土地从农民那里征来，“几通一平”后再交给企业。当企业建设的资金不足时，当地政府可能减免企业买地费用，等企业项目投产并产生利润后再逐步归还。企业在创立初期，缺少信用记录而无法向银行申请贷款，往往又是政府出面，或是召集银企合作协调会，由政府向银行推荐企业；或是由政府安排提供贷款担保，促成贷款的实现。企业发展需要人才的提升，政府会利用机构和渠道优势帮助企业招募人才，并提供诸如个人所得税减免、住房补贴、子女就学等优惠政策吸引人才。当企业遭遇不测，比如技术失窃或资金被骗时，企业常常等不起依法律程序旷日持久的诉讼，往往还是政府介入，直接动用相关执法和司法手段，促成事件尽快解决。企业遇到劳动纠纷，通常也不是只走法律诉讼程序，而往往由地方政府有关部门出面参与协调。总之，在企业职能管理的所有方面，举凡行政、人事、资金融通、法律事务甚至产品开发和推销，地方政府经常是作用显著的参与者。在某种意义上，地方政府就是辖区内企业总公司的半个管理总部。在这点上，张五常教授的描述极为生动：

> 需要一个商业牌照吗？县政府会派人代你奔走。要建筑许可证吗？他们给你担保。不喜欢那不洁的小溪流过你的场地吗？他们可能给你建造一个小湖。他们帮你找设计师，找建筑商，而准备投产时，会协助你聘请员工，收的费用合理。是的，县有招工队，替投资者招工。他们会向你推销他们的廉价电力，推销他们的公园与娱乐，推销他们的方便交通，水电供应，光辉历史，甚至他们的女孩有多漂亮——我没有夸张！①

综上所述，可知当其他外部条件相同时，地方政府为企业提供的各种“管理服务”使企业运行涉及的第二种交易费用得以大大降低。在常规的二维市场经济中，这些“企业与非企业的交易合约”通常是通过法律、审计、商务咨询、政治游说等中介服务行业来完成的。这样的交易方式虽然形式上公平，但常常费时费力，费用高而效率低。而在中国，由地方政府出面协调，为市场主体的谈判和争议的解决提供指导框架甚至仲裁，虽然不一定公平，但能比企业自身更有效地解决“企业—非企业合约”的特殊问题，因而效率更高，而由此产生的社会总费用则可以更低。

（三）更高的行政效率

在中国三维市场体制中，由于地方政府的介入，现代政府中普遍存在的部门官僚主义得到相当程度的平衡与化解，对企业运

---

① 张五常：《中国的经济制度》，中信出版社2009年版，第154—155页。

行的副作用大大缓解。所谓部门官僚主义，原意是指具体政府部门办事时循规蹈矩、迟缓拖沓、不重效率这种天然倾向；当涉及资源分配时，则又产生上下其手、营私舞弊等贪腐现象。究其根源，在于这些部门不是独立主体，没有硬性业绩约束；对任职官员难以用经济指标考核，大多依靠内部定性评估，因而没有追求自主发展的内在动力和机会；而外部又因为权力垄断，没有市场竞争的压力。这种部门官僚主义，即现代经济学中的“委托—代理(principal-agent)”问题，在各种正规组织，如政府、大型企业、大学、教会等普遍存在，也不可避免。①现代公共管理运动从流程与预算的合理化入手，试图解决部门官僚主义的痼疾，虽有一定成效，但始终未能、也无法触动政府部门有权力而无发展动力与竞争压力这一根本问题。而在相当多发展中国家，由于历史和社会基础等复杂问题，更使官僚主义发展为无法无天的“恶政”。

中国的政府改革则是另辟蹊径。如前所述，对地方政府放权、让利、赋能，本质上就是为地方政府打开发展空间，使其内

---

① 关于官僚制，英文为bureaucracy，原意与科层(hierarchy)相同，两词也常常换用，说明在西方学术传统中，官僚制或科层制原是一个中性名词，用以描述现代社会中占主导地位的各类大型正规组织的形态，如军队、大学、企业、政府等。著名社会学家马克斯·韦伯教授(Max Weber, 1978)开创了现代科层—官僚制理论，后经法国米歇尔·克罗齐埃教授(M. Crozier, 1964)等众多学者发展改进，在今天美国大学的学科分类中也有了“组织社会学”与管理学院的“组织设计学”这样的专业方向。经典文献参见M. Crozier, *The Bureaucratic Phenomenon*, Chicago: University of Chicago Press, 1964(中译本:[法]米歇尔·克罗齐埃:《科层现象》，刘汉全译，上海人民出版社2002年版); W. A. Niskanen Jr., *Bureaucracy and Representative Government*, Chicago: Aldine-Atherton, 1971; W. A. Niskanen Jr., “Bureaucrats and Politicians”, *Journal of Law and Economics*, December 1975, 18, pp. 617—43; Gordon Tullock, *The Politics of Bureaucracy*, Washington, D. C.: Public Affairs Press, 1965。

有动力，外有竞争，从而把“官员”（即代理人，agent）转化成另类企业家（即委托人，principal）。结果，在平衡与抑制传统部门官僚主义的过程中，地方政府成为关键一方：它们既是中央政府反对部门官僚主义的依托，又是企业界在部门科层体系中层层过关、办成事情的合作伙伴。

应该指出，许多政府部门的存在是社会经济正常运行的必要条件，如环境保护、食品安全、安全生产、防火防灾、工商注册、企业统计、税务征管、立规执法等，各国皆不例外。而在中国情境下，国土资源、产业管制也是重要的事项。试想，一个企业投资发展，兴办项目，要经过那么多政府部门的核查、审批、协调，即使是按法治比较健全的欧美国家的行政效率，也常常旷日持久、久拖不决。其实，在今日欧美发达国家，稍微复杂点的大型项目往往耗费几年、十几年而不能开工，恰恰说明其行政效率的低下。考虑到中国2 000多年集权政府下官僚主义的历史阴影，按理说，今天中国官僚主义的程度本应远超欧美发达国家。

但实际情况是，今天中国政府的行政效率显著高于欧美发达国家。普通工业项目基本上一年之内过关，即使必须由国家发改委审批的重点项目（比如汽车与大型化工等）和大型基础设施工程，也鲜有超过三五年的。中国每年开工、完工的工厂、电站、港口、公路、铁道、医院、学校、公园、剧院、图书馆、博物馆等，难以计数，世所公认。应当说，地方政府在其中发挥了关键性作用。从根本上说，在通过部门官僚主义迷宫的征程中，地方政府和企业是一个战壕里的“战友”。而且，地方政府领导与部门官员同属一个政府体系，在职业生涯和职位变迁过程中双方常常共事和合作，或者互换角色，因此相互熟悉对方的办事流程与习惯，能够更为便捷地沟通。再者，地方领导与部门官员“勾兑”，目的是帮助辖区企业，促进地方发展，这与国家发展大目标一致，因此，比民营企业显然具有更高的影响力与可信度。有趣的是，地方政府自身也有部、委、办、局的官僚主义，但一则地方领导与之距离短，较易管控；二则在应对上级官僚主义时，它又成了地方领导的工作机构。这样，往往形成地方政府率领本地“官僚主义部门”与企业一起和上级“官僚主义部门”博弈的情形。其结果，世界各国普遍存在的部门官僚主义与行政效率低下，在中国被三维市场体制大大化解了。

当然，今天中国仍然存在广泛而严重的政府官僚主义问题，主要是国家级专业部门规则制定过程过于封闭简单，流程多有模糊含混，案件受理与办结没有明确可行的约束；更有甚者，“国家权力部门化，部门权力个人化”的情况还在相当程度上存在，导致政府效能受损，声誉与权威性降低。但是，这种部门官僚主义问题，既是各国现代政府的通病，又是中国历史沉疴留下的包袱。而三维市场体制中地方政府作为相对自主的建制性力量的崛起，不但不是上述部门官僚主义的根源，反而正是对付部门官僚主义的“中式解药”。

综上所述，中国三维市场体制下的企业与常规市场经济中的企业相比，具有明显更强的投资动机，办理规制部门项目审批的速度明显更快，处理各种非企业性交易协调的费用往往更低。这些因素的综合，使中国企业形成了某种超越常规市场经济中的私有企业的超强投资能力。正是由于这种超强投资能力的广泛存在，使得中国经济的宏观特征经常性地变成了“市场过热”，而不是像常规市场经济那样，总是为“有效需求不足”发愁。

三、地方投资激励的长期收益

地方政府对企业创业的财政支持和对企业运行的综合服务是可持续的吗？这显然取决于地方财政与服务支持的效果。地方政府对企业创业提供财政资金补助与配套服务，其实是对企业创业成功后的收入分享权的一种投资行为。对企业股东而言，企业创业的未来收益比较简单，就是利润；用政治经济学的话说，是“剩余价值”或者“剩余索取权”。相比之下，地方政府通过扶持企业创业所获得的，不仅仅是“剩余价值”的索取权，而且是企业全部收入及关联产业链收益的分享权。

首先，企业增值税。按照现行税法，企业不论是否盈利，只要工厂建成投产，产生销售收入，就要按产品增加值的17%缴纳增值税。其中，地方可分成25%，即产品增加值中的4.25%归地方政府。假设产品增加值是产品总值(即销售收入)的20%—50%，则4.25%的增值税分成就等于销售收入的0.85%—2.125%。在电子、家电、汽车等行业，许多中国企业的利润通常也不超过5%，有时只有2%左右。就是说在这些企业，仅就增值税而言，地方政府的收益权就赶上了企业股东的全部收益。

其次，企业所得税。自企业经营获得利润开始，去除约定的税收减免年份，地方财政便可通过企业所得税获得另一份收益。除高新科技企业按15%计征外，一般按企业利润的25%上缴财政。早期，这一税收对地方政府的贡献不如增值税。但随着企业产业升级与规模扩大，企业盈利率提高后，企业所得税的贡献增大。设企业利润占销售收入达到8%，则按利润的25%交税就等于按销售收入的2%交税。这就是说，对地方政府而言，在大多数情况下，企业销售利润率达到8%即意味着它和增值税地方分成基本同效。

再次，企业员工所得税与社保供款。企业聘用员工的薪资奖金中，要交纳个人所得税及各项社保供款。不论企业是否获利，薪资是事前固定的，只要企业存在，就有工资与员工所得税发生，企业就得按规定为员工代扣、缴纳税收与社保。员工领取工资后进行生活消费时，他们的消费行为又产生消费税项。

此外，对企业所在地关联企业的带动。比如，企业使用的中间品，如零部件和原料等，如果形成规模，则会引致中间品供货商的集聚，带动地方关联产业或贸易的发展。而且，上述经济活动规模与人口增加还会带动地方商贸等服务行业的发展，特别是房地产市场的兴旺。这一点对地方财政又有特殊意义。在地方政府土地财政中，工业用地、商住用地、公益用地三者的比例是个核心问题。地方政府在工业用地上的亏损（因为对企业的地价进行补贴）和公益用地成本（公益用地没有收入），很大程度上要依靠商住用地的出让金留成加以对冲；而商住用地的出让金又依存于土地出让价格，后者则取决于地方经济的总体增长。因此，关联产业、人口增长、经济总量的扩大导致房地产景气，对地方财政就有了特殊意义。

总之，地方政府投资激励体系对地方发展的推动是一个层层放大的链式反应，如图 2.3 所示。

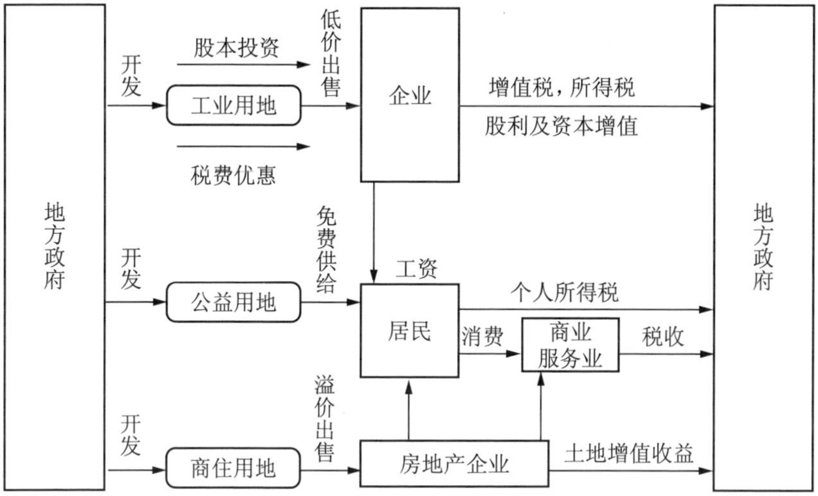

图 2.3　地方政府投资激励体系的放大效应

由此可见，地方政府对投资的激励政策，本质上是一种投资行为，是对企业未来收益及关联利益分享权的一种综合性长期投资行为。

这就是说，中国地方政府投资激励体系所涉及的财政支出并不是西方公共财政意义上的一般性支出。西方式公共财政支出通常是纯粹的消费性支出，资金一旦拨付花费，便结束了。相比之下，中国地方政府的投资激励性支出，花费之后所产生的是一个不断放大的价值创造与分享流程，最终以税收增长、股权增值、土地升值等多种方式回流到政府财政。正是在这个意义上，地方政府的投资激励性财政支出是为了未来预期收益的投资行为。

既然是为了预期收益的投资行为，必然产生追求收益成长的动机。逻辑上可以推断，随着地方发展与实践经验的积累，地方政府必然会改进投资激励方法，以获得尽可能多的未来收益。因此，在现实中，我们观察到大量如下现象：越来越多的地方政府把投资激励的力度与企业投资规模甚至未来税费上缴指标直接挂钩；地方政府越来越注重根据本地资源优势选择重点产业；越是发达的地区，越是强调从一般招商转变为择优选商。

既然是用政府财政投资于未来收益，必然会产生为投资而筹措资金的负债行为，地方融资平台便由此而来。投资与融资、资产与负债，便成为地方政府财政管理的有机组成部分。问题不在于有无负债，而在于负债被如何使用；不在于负债的绝对规模大小，而在于负债与资产的关系，即资产负债率。①从实际情况看，中国地方政府的资产负债管理虽然历时不长，但已在逐步改善之中。从长远看，只要保持竞争、学习的机制，辅以中央和学术界的指导帮助，则中国特色的地方财政管理体系也将日渐成熟。

---

① 目前，中国学术界普遍把政府负债与国民收入挂钩，主要谈论国家负债占GDP的比重。笔者以为，与政府负债相对应的应该是政府拥有的净资产，而不是GDP；如果要强调负债的偿还能力，也应该使用与现金流相关的指标，比如每年应付债务，而不是负债总额；每年可用于还债的自由现金流，而不是国民收入或者财政收入。资产概念的错配表明，学术界对于国家级资产负债体系的认知还处在初级阶段。可喜的是，越来越多的学者开始推动此项研究，参见李扬等：《中国主权资产负债表及其风险评估(上、下)》，《经济研究》2012年第6、7期；马骏、张晓蓉、李治国等：《中国国家资产负债表研究》，社会科学文献出版社2012年版；沈沛龙、樊欢：《基本可流动性资产负债表的我国政府债务风险研究》，《经济研究》2012年第2期；吴优：《国民资产负债核算与会计资产负债核算的比较与转换》，《统计研究》2002年第4期。

第三章 Chapter three
美联储与国际超常购买力

上一章说明，在中国特色市场经济中，存在着持续而强大的高额投资冲动。但是，仅仅靠高额投资并不能解决经济周期问题。高额投资持续的时期越长，积累的新增产能越大，社会产品供大于求的现象就越严重。如果没有某种系统外的力量，生产过剩引发的经济危机必然发生。

那么，中国经济在近20年中何以避免了上述经济危机的发生呢？或者说，对中国经济中持续发生的高额投资与高速产能扩张所形成的相对生产过剩，其相应的额外市场购买力从何而来呢？答案是，这一购买力来自国际市场，表现为中国20世纪90年代以来的持续外贸盈余及其累积，即中国3万多亿美元的外汇储备。①有趣的是，这一外贸盈余和外汇储备恰好与美国在同一时期持续的外贸（主要是对华贸易）赤字与财政赤字相对应。一定意义上说，这提供给中国的就是某种外生而又真实的购买力，即超常购买力。

问题是，美国何以能长期维持贸易赤字与财政赤字呢？它又

---

① 外汇储备中有累计近1.6万亿美元来自外商直接投资等形成的资本输入，理应扣除后才是外贸盈余；但是中国非正式的对外资本流出早已发生，且规模庞大，加上近些年日益扩大的正规对外投资，中国资本输出的累计规模也已极为庞大。参见国家外汇管理局公布的2011年6月末中国国际投资头寸表。

为何如此呢？

一般情况下，一国的贸易赤字难以长期维持与扩大。但是，美国的地位特殊。一方面，其国内储蓄不足，消费过多，形成家庭赤字与国家贸易赤字；另一方面，美国选举政治的压力令其难以削减支出，而金融市场的优势又使其容易向国际市场借钱；尤其是它拥有美元作为世界货币的地位，可以通过货币超常发行来支持财政赤字，从而在表面上或暂时地把问题“解决”。可以说，美元作为世界货币这个优势，不幸变成了美联储超发美元与支持美国长期负债消费的工具。其结果是，美国不断拖延本应进行的经济调整，而把寅吃卯粮、借债摆阔这种不可持续的游戏越玩越久，最终引发从互联网泡沫到次贷危机的一系列麻烦。与此同时，中国庞大的新增产能则找到了国外需求。产品出口、换回美元，又由高度统一的外汇管理体制集中起来，通过美国金融市场返借回美国。可以说，中美两国的经济战略在过去20多年无意中互为依存，形成了天然配对。对美国而言，中国产品出口与美元回流似乎是“免费”的午餐，为美国家庭提供价廉物美的消费，同时又不会对美国政治经济造成重大冲击。对中国而言，美国市场代表了体系之外的第三方购买力——一种超常购买力，它为中国产品提供真实有效的需求，却不会同时对中国财政造成负担。但美国次贷危机引发的国际金融危机则彻底暴露了两国经济自发性战略配对的不可持续性。

一、国际超常购买力的发生与成长

中国的高额投资和产能过剩与美国的过度消费和超常购买力成

为硬币的两面。两者的发生与发展也是同步互动的。

中国三维市场体制的基本形成是在 20 世纪 90 年代中期，当时，上述体制驱动的超常投资冲动开始发力；加上外汇管理体制改革与人民币汇率的锚定，中国的投资率抬升，产能扩大提速，出口与贸易盈余随之大增。表 3.1 显示了这一发展历程。

从表 3.1 不难看出，1994 年是中国货物贸易格局转折的一年。在此之前，贸易盈余与赤字交替出现，即使在有盈余的年份，其规模也不大，都在 100 亿美元以下。1994 年之后，每年均实现贸易盈余，且规模越来越大。3 年后就超过了 400 亿美元，到 2005 年则一步跨过年盈余千亿美元大关，达到 1 342 亿美元，随后两年，即 2006 年与 2007 年，相继越过 2 000 亿美元与 3 000 亿美元大关。累积计算，1982—2011 年中国对外货物贸易盈余超过 2 万亿美元。

二、资产泡沫与消费赤字

与上述中国贸易盈余的增长率同步，美国的家庭过度消费与贸易赤字也持续发展起来。第二次世界大战以后，像西方其他国家一样，美国经历了一个有史以来最好的经济增长黄金期，消费水平相应随之提高。但此后，福利国家大行其道，消费主义文化崛起，消费信贷提供支持，终于孕育出一代人超前消费的持家之道，使家庭消费超越了家庭可支配收入的天然限制，创造出家庭赤字的时代。

表3.1 中国货物贸易顺差及增长率、外汇储备与工业增加值增长率(1982—2011年)

年份	货物贸易顺差（亿美元）	货物贸易顺差增长率(%)	外汇储备（亿美元）	工业增加值增长率(%)
1982	42	N/A	69.86	5.6
1983	20	-52.38	89.01	10.4
1984	0	-100.00	82.20	14.5
1985	-131	N/A	26.44	18.6
1986	-91	30.53	20.72	10.2
1987	-17	81.32	29.23	13.7
1988	-53	-211.76	33.72	14.5
1989	-56	-5.66	55.50	3.8
1990	92	264.29	110.93	3.2
1991	87	-5.43	217.12	13.9
1992	52	-40.23	194.43	21.2
1993	-107	-305.77	211.99	19.9
1994	73	168.22	516.20	18.4
1995	180	146.58	735.97	13.9
1996	195	8.33	1 050.29	12.1
1997	462	136.92	1 398.90	10.5
1998	466	0.87	1 449.59	8.9
1999	360	-22.75	1 546.75	8.1
2000	345	-4.17	1 655.74	9.4
2001	340	-1.45	2 121.65	8.4
2002	442	30.00	2 864.07	9.8
2003	444	0.45	4 032.51	12.7
2004	590	32.88	6 099.32	11.1
2005	1 342	127.46	8 188.72	12.1
2006	2 177	62.22	10 663.44	13.4
2007	3 159	45.11	15 282.49	15.1
2008	3 606	14.15	19 460.30	9.9
2009	2 495	-30.81	23 991.52	9.9
2010	2 542	1.88	28 473.38	12.3
2011	2 435	-4.21	31 811.48	10.3
合计	21 491			

资料来源：国家外汇管理局网站，http://www.safe.gov.cn/。

20世纪80年代以后，私人消费逐渐在美国经济中占据主导地位，其占GDP的比重从1980年以前的约60%提高到90年代的67%，2011年又进一步提高到74%。2000—2007年期间，私人消费对GDP增长的贡献率达到80%左右。同期，家庭消费的增长率高于家庭收入的增长率。究其原因，是家庭消费转向更多地由资产决定，并形成一种基于资产估值的消费模式。80年代以来，金融创新使资产收益成为美国家庭的重要收入，金融资产收入占家庭收入的比重从1950年的7%提高到2011年的约25%。其中，股票和房地产在美国家庭资产中的地位格外重要。2004年，股票和养老金账户在家庭资产中的占比分别达到约6%和约11%，而房地产在家庭资产中的比重达到43%以上。由此而来，房价和股价成为影响家庭资产价值、从而影响消费的重要因素，消费带有明显的名义财富效应。根据研究，静态地看，住房价格每上升10%，将使家庭消费实际增速提高1.4个百分点；股票收益率与滞后一年的消费实际增速存在明显相关性，其相关系数达到0.44。①也就是说，虽然家庭持有的资产，如房屋、股票、基金份额等的实际规模并未增长，但由于股价、房价等资产价格的攀升，这些资产的市面估值越来越大，人们倾向于认为有理由多借些钱来提高当前消费水平。美国金融业也相应设计了一系列刺激人们借钱消费的方法。“金融创新”使家庭部门通过负债支撑当前消费，尤其是90年代以来住房抵押贷款

① 参见美国经济分析局(Bureau of Economic Analysis)，“Personal Income and Outlays October 2012”，“Current-Dollar and ‘Real’ Gross Domestic Product 2012”，“Trends in Consumer Spending and Personal Saving, 1959—2009”。

和消费信贷的大量证券化，刺激了家庭部门信贷的增加，推高了债务对GDP的比例。图3.1列示了股价、房价上涨与美国家庭负债的成长。

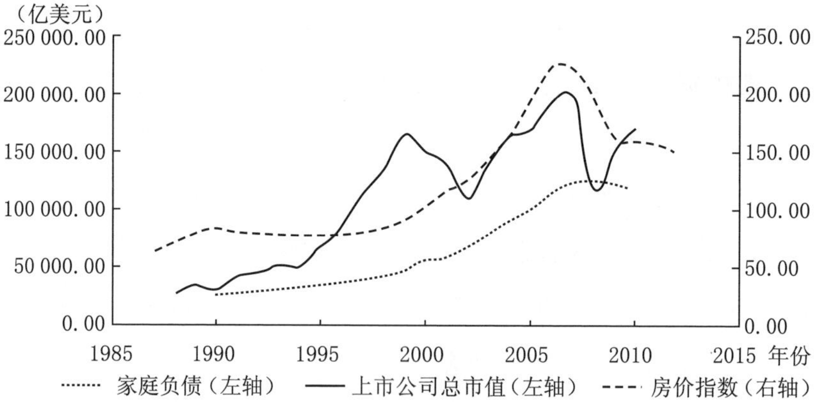

图3.1 股指、房价上涨与美国家庭负债的成长(1987—2012年)

资料来源：家庭负债数据1999年以前采用联邦住房金融局数据(http://www.fhfa.gov/Default.aspx? Page=70)，此数据仅含住房抵押贷款；1999年以后采用美联储数据(http://www.federalreserve.gov/econresdata/default.htm)，此数据为家庭总负债。

上市公司总市值数据来自世界银行数据库，http//data.worldbank.org.cn/indicator。

房价指数来自标准普尔，S & P/Case-Shiller Home Price Indices。

详细数据可参见本书附表5。

三、产业外流与贸易赤字

麻烦的是，美国家庭的赤字消费不能由美国国内产业完全满足，结果只能依赖进口，形成贸易赤字。20世纪下半期美国产业的国际竞争力经历了盛极而衰的过程。20世纪五六十年代，美国产业的国际竞争力达到顶峰。当时，美国一国的GDP占全球GDP

的比例超过38%(而2011年这一数字已跌至21.42%)。①在主要工业产品上，美国钢铁产量占全球钢铁产量的47%(1985年时已下降为11%)，制造业规模的全球占比一度超过40%。②美国产业的高度优势表现在国际贸易方面，货物贸易连年顺差，在1964年达到高峰。③与此相应，美国金融行业已成为全球金融不容置疑的领导者。20世纪50年代，全球黄金储量的近三分之二在美国。④

就像历史上的其他帝国一样，繁盛的顶点往往意味着下滑的开始。第二次世界大战以后，面对苏联阵营的崛起，美国开始安排西欧经济复苏计划并稳定和扶持日本经济，其中"马歇尔计划"促成了欧洲经济的复兴，麦克阿瑟的治理稳定了日本的经济和社会，朝鲜战争的爆发给了日本经济启动的契机，由此开始了西欧和日本产业经济的快速和持续发展。当时，西欧、美国和日本都经历了现代以来最快速和最稳定的发展时期，并被很多学者称为资本主义发展的黄金期。但是相比较而言，西欧和日本在诸多产业领域开始超越美国，形成了对美国的挑战。首先在钢铁、造船、汽车等资本密集型产业，西欧和日本企业竞争能力的发展逐步侵蚀了美国在这些领域的竞争优势。在70年代"石油危机"以后，美国汽车产业由于未对这一能源短缺问题作出积极的反应，很快落后于西欧和日本。而日本汽车产业的全面快

---

① 数据来源：世界银行。

② 国际货币基金组织、世界银行：《金融与发展》，1987年12月中文版。

③ BEA, "U.S. International Transactions from 1960—2011", http://www.bea.gov/international/index.htm.

④ World Gold Council, "Annual Time Series on World Official Gold Reserves since 1845", http://www.gold.org/government_affairs/gold_reserves/.

速崛起，更是开启了美国汽车业的衰败之门。当时美国五大湖地区的主要城市都面临失去核心竞争力而导致的痛苦转型。此外，法国、意大利等在奢侈品行业也对美国形成了竞争和超越。这一阶段成为对美国产业的第一波挑战。

此后，“亚洲四小龙”崛起。“亚洲四小龙”经历了从劳动密集型到资本密集型的升级。亚洲金融危机之后，韩国、新加坡与中国台湾又成功实现了结构转型，在若干重点产业部门完成了从粗放经营向知识经济为基础的创新驱动的转型，尤其在电子信息产业对美国科技竞争力的核心部门形成了挑战。就中国台湾而言，先是与美国的品牌企业进行战略合作，构筑全球产业链，随着过程的深化，台湾地区涌现出越来越多的自主品牌，在全球市场中展开自主与发展竞争。

随后涌现出的中国、印度、巴西等新兴经济体，在中低端产业不但对美国，也对西欧、日本等造成巨大冲击。随着新兴经济体的发展，产业结构逐渐向中高端移动，对美国产业造成了进一步压力与困境，越来越多的美国产业部门走向衰弱与停滞。

与此同时，美国的国家经济战略决策未能与时俱进。它不但没有在振兴实体经济上花力气，反而试图通过金融产业虚拟化与货币游戏勉强支撑。一方面，服从国内福利社会形成的超前消费的政治要求，放任各种既得利益集团抬高养老、教育、医疗等各种社会福利的成本，导致劳工、法治等企业成本全面膨胀，使得越来越多的美国产业竞争力进一步恶化。在这种压力下，一部分美国企业走向衰败，而另一些具有全球化眼光与能力的企业则借助全球化浪潮将产品的生产与设计分离，将生产过程迁往新兴经济体。这样做的结果，是使这一部分企业盈利能力更强，成为利用全球化资源实现持续成长的全球产业巨头，但也导致美国多数产业走向空洞化。与此对应，中国、印度等新兴经济体利用本身的比较竞争优势，以日益提升的制造业参与全球竞争，积累大量贸易顺差，拉低了全球物价水平。美国虽然暂时得以靠金融维持国力，产业资本通过转移外流与全球化布局，获得了企业成长空间，但是，从长期看却削弱了美国实体经济，造成其持续增长的贸易逆差。图 3.2 显示了 30 多年来美国对外资本输出与贸易逆差的相关情况。

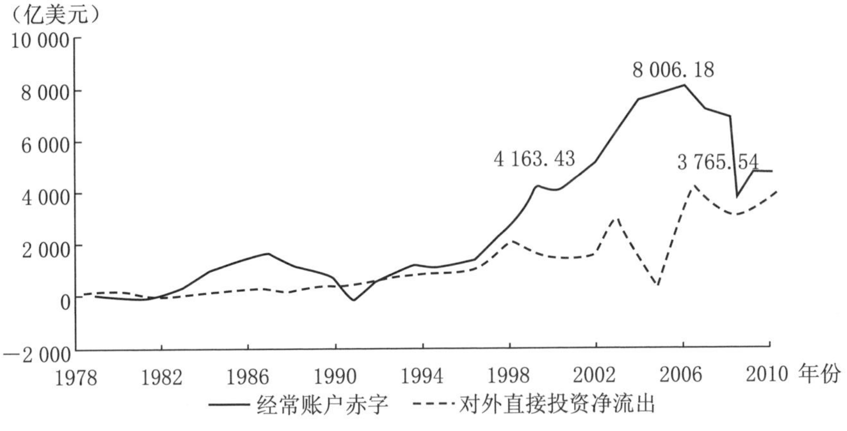

图 3.2 美国年度对外资本输出与贸易赤字(1978—2011 年)

资料来源：世界银行数据库，http://data.worldbank.org.cn/indicator。详细数据可参见本书附表 6。

四、财政赤字与美元过度发行

造成美国家庭赤字与贸易赤字的原因，同样也是造成美国国家财政赤字的原因。消费超前的人群往往要求增加国家福利开支。通过选举政治的流程，这种要求往往会转变为财政刚性支出的持续增加。贸易赤字源于产业停滞衰退，而产业滞衰则意味着就业不振和领取福利救济的人口增加，也意味着企业投资不振，税收上缴能力下降。即财政支出增大，收入减少，形成财政赤字的增长。

财政赤字由谁来买单？既然家庭部门与产业部门已双双赤字，出路只能在金融，在货币发行。与此相对应，美国金融行业发达，美元又是国际货币。于是，需求创造供给，20世纪80年代美元发行开始进入长期增长的轨道。但问题是，为什么可以发行如此大量的美元？在布雷顿森林体系下，美元与黄金直接挂钩，持有美元即等于持有黄金。但在1971年，尼克松政府迫于当时美国经济走衰、黄金储备无法支撑美元供给的现实，决定美元与黄金脱钩。脱钩后，美元成为美国发行的信用纸币。如果超量发行，按照经济学常识，必然导致币值下降和国内通胀。而在决定美元与黄金脱钩时，美国当局也曾忧虑上述情况的发生。道理很简单：未脱钩前，人们持有美元等同于持有黄金，故美元可以作为国际货币；脱钩后，美元仅仅是美国印发的纸币，人们凭什么仍旧选择持有美元呢？

从逻辑上说，要解决这个问题，必须保证美元作为国际上唯一通行的硬通货，也就是保证国家间贸易结算只能使用美元，这样美元具有在国际上购买物质产品的垄断权，从而使各国中央银行为了本国经济的稳定必须储备美元。另外，大量的美元发行以后，又必须确保这些美元不能回流到美国的实体经济中，才能保证美国的物价水平不受影响。所以，美元与黄金脱钩以后的美国，最重要的就是维持美元作为国际有效购买力的地位，同时创造出新的不断增长的对美元的需求。从这一方面看，美国的战略决策还是取得了很大的成功。首先，美国控制了重要的战略物资，如石油的市场供给，这使得美元成为可以使用的硬通货；其次，创造欧洲美元市场，使其大量吸收石油交易形成的过量美元，把大量美元留在了欧洲。当然，最终必须使持有美元能够得到一定收益，各国政府名义上能够保值、增值，这样才能让各国政府与中央银行“自愿”保持大大超过本国经济需要的美元储备。所以，除了支付美国国债的利息之外，又要创造条件保证这些债券等能够随时买进卖出、容易变现，由此需要一个规模化的金融产品交易场所，使得持有美国国债的各类经济主体可以随时在债券市场上交易。随着各类美元资产可以在市场上进行交易，价格有涨有跌，也就完成了美元从纸币走向价值实体的神秘化过程。由此可以看出，在美元大量超发的情况下，维持纸币价值的最终保证是一个大规模的金融交易市场。

的确，当时的金融革命形成了一个规模巨大、品种复杂、多层次结构的金融市场，使得美元国际货币的地位维持了几十年。其中，美联储发行美元给财政部，财政部对美联储负债，再用财政支出、货币市场操作等方式，向美国经济注入流动性。美联储也可通过各种渠道将美元输入银行体系，银行体系再通过金融操作，使美元进入美国的经济体系。所以，多层次的金融市场通过债券发行和交易，使得美联储发行的美元得以注入全球经济体系。在眼花缭乱的金融市场上，复杂的交易产生金融资产价格的潮起潮落，让美元具有了像石油、金属一样的贵重商品的独立价值，完成了美元从符号纸币向真实价值的实相化过程。因此，离开美国金融产业全球霸主的地位，离开美国金融业复杂而神秘的操盘能力，这种长期不衰的纸币美元拜物教将无以为继。金融产业的膨胀，实际上是美国在其实体经济衰落条件下维持霸权地位的必然产物。

因此，20世纪80年代以来，美国开始了所谓“金融工程”的虚拟经济革命并发展迅猛。2008年国际金融危机爆发时，其衍生品交易规模已是天量。如图3.3所示，美国金融衍生品这种新的虚拟经济不仅远远超过实体经济(GDP)的增长，而且也把传统的虚拟经济(股票及债券)远远甩在了后面。

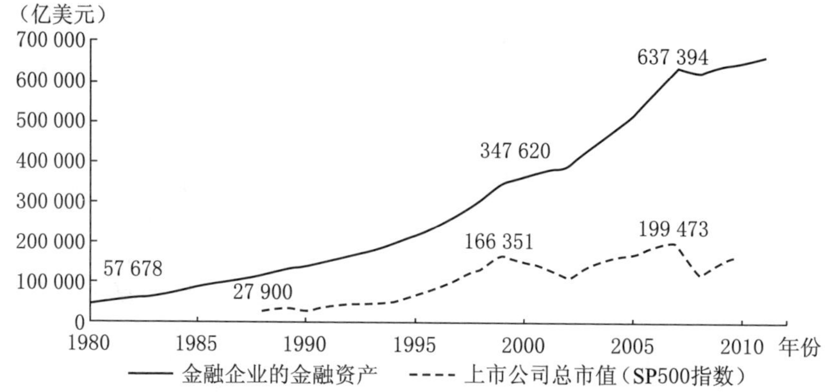

图3.3 美国金融产业的规模增长情况(1980—2011年)

资料来源：世界银行，U. S. Bureau of Economic Analysis(BEA)。
详细数据可参见本书附表7。

金融资产的增长率远远超过同期国民经济的增长率，从1986年约10万亿美元增长到2011年的67万亿美元。其中，如图

3.4 所示，最主要的增长推动力来自场外交易市场(OTC)衍生品规模的增长，其 2000 年才刚刚起步，2004 年接近 10 万亿美元，2011 年则超过 27 万亿美元。

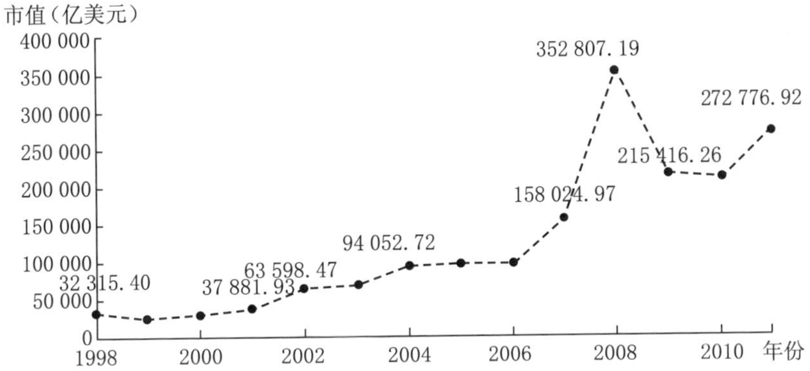

图 3.4　全球 OTC 衍生品增长情况(1998—2011 年)

资料来源：国际清算银行，http://www.bis.org/statistics/derstats.htm。详细数据可参见本书附表 7。

金融行业，尤其是资本市场和金融衍生品部门的快速增长，不断提升它在美国国民经济中的地位。从图 3.5 可以看出，20 世纪 40 年代金融行业利润在美国国民经济总利润中的占比基本在 10%以下，1985 年增长到 15%以上，2000 年更是高达 30.59%。

值得玩味的是，美国金融产业的强劲发展并没有带来本国实体经济的振兴；但是，它为美元过度发行创造了必不可少的市场条件。然而，美元发行的“自主化”在给美国政府延续财政赤字的自由时，反过来又延缓了美国社会与政府解决财政赤字的决心。结果，美元发行与财政赤字携手并进，直至不可收拾(见图3.6)。

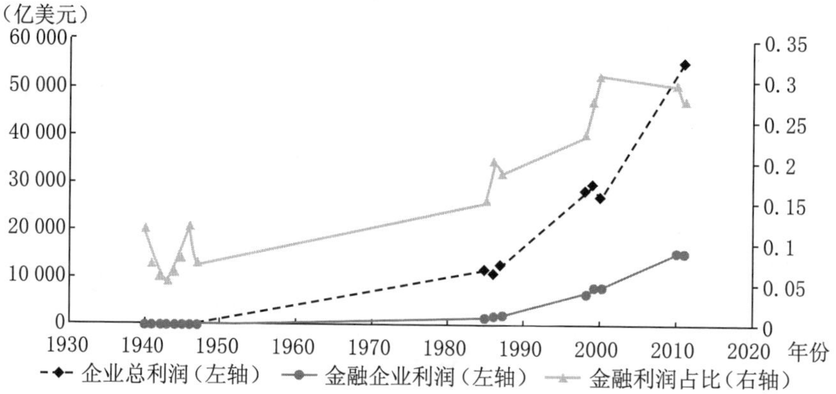

图3.5　美国金融与企业利润(1940—2011年)

注:其中金融企业包括:金融、保险、银行和其他控股公司。
资料来源:U.S. Bureau of Economic Analysis(BEA), http://www.bea.gov/。
详细数据可参见本书附表8。

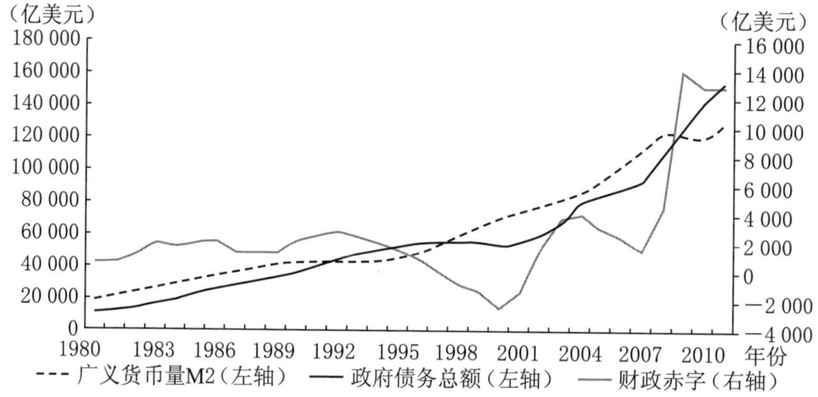

图3.6　美元发行额与赤字额(1980—2011年)

资料来源:Congressional Budget Office, IMF, 世界银行。
详细数据可参见本书附表9。

五、超常购买力的界限与危机

综上所述，中国实现超常增长的重要前提是超常购买力的存在。但超常购买力依赖于美国家庭的消费赤字、产业的贸易赤字、政府的财政赤字这三大赤字；而归根到底，这些赤字的背后又是美元过度发行。显然，这种以美元过度发行为基础的赤字经济模式是不可能持久的。2007 年开始席卷美国的次贷危机迅速发展为国际金融危机，随后又演变成旷日持久的全球经济低迷，正式宣告美国赤字经济模式的破产，同时也意味着中国超常增长模式所依赖的国际市场环境已经发生变化。

可以说，过去 30 多年来中美两国同时实行了不平衡的发展战略。中国是追求不平衡的高速增长，特征是所谓的“三低三高”：

低工资→低消费占比→低内需市场

高投资→高增长→高外贸盈余

美国则是维持不平衡的赤字经济运行，也可以概括为：

低投资→低增长→高外贸赤字

高资产泡沫→高消费→高家庭赤字

中美两国的经济发展无意中形成了互补性战略配对，各自均以对方为依存，缺一不可。这一自发性战略配对的内在逻辑是显而易见的。一方面，中国用资源与产品交换美元，实体经济能力得到长足发展，但积累了一堆不断贬值的美元纸钞；另一方面，美国靠印发纸钞维持赤字与国内消费福利，却使实体经济受损，经济越来越虚拟化。

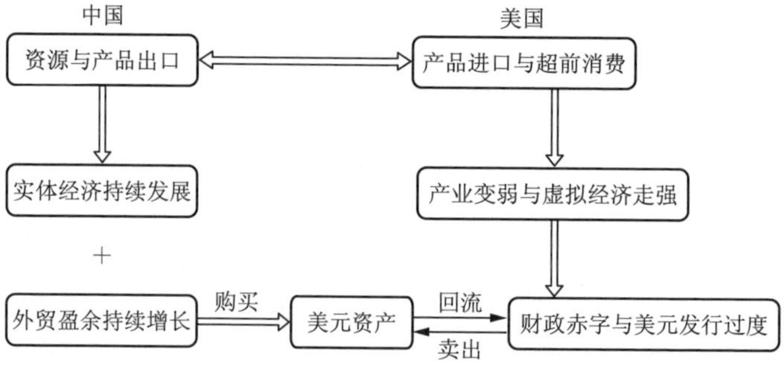

图3.7 中美战略配对示意图

上述中美战略配对的特征是双方各自的不平衡，而其长期后果则是两国乃至全球经济的失衡。现在，中美两国的经济战略同时面临挑战。在某种意义上说，中美两国是本次全球化进程中的最大受益国。但是，中国实体经济走强与美国虚拟经济走强的趋势一定程度上都已经难以为继。美国难以为继，是因为实体经济总要保持某种规模，虚拟经济和资产泡沫终归要破灭；在现有条件下中国也难以为继，是因为再用稀缺的资源与产品换取大量美元纸币，风险越来越难以承担。同时，全球经济也无力承受两大经济体长期失衡的后果。

当前形势下，危机迫使世界经济进入重大调整期，中国的“三低三高”不平衡增长战略与美国的家庭、贸易、财政“三赤字”发展模式同时面临根本转型，两大经济管理模式之间的关系需要从根本上再造。重要的是，世界经济长期健康发展将取决于中美两国战略与模式同步转型能否成功。毋庸置疑，两个大国同步实行发展战略和经济模式的转型，是一项前所未有的挑战。

第四章 Chapter four
中国经济增长的新历史阶段

经历了30多年的超常增长后，中国经济发展正步入新的阶段，同时所面临的国内外环境也发生显著变化。需求方面，国际金融危机宣告了国际超常购买力的终结；供给方面，各种生产要素的瓶颈日显严重，生态环境、能源、资源、人力资本、技术创新等各大要素的制约已经成为现实存在的严峻挑战。中国的超常增长模式还能继续吗？

首先看需求方面。经济增长的未来空间有多大，取决于现存的发展水平差距有多大。中国仍是发展中大国，人均收入处于世界中、下水平；虽然东部地区5亿左右人口达到初级现代化水平，但对于广大中西部地区而言，发展大戏才刚刚拉开序幕。①

可见，实现全国总体的现代化，让十几亿人进入富裕文明的生活状态，中国经济还要走几十年的增长之路。因此，长期增长的潜在需求相当紧迫；问题在于如何把潜在需求变成现实需求，而其中超常购买力的替代才是难题所在。失去了美联储支撑的国际超常购买力之后，若无有效替代，中国经济未来只能是

---

① 国家统计局编:《中国统计年鉴2012》,中国统计出版社2012年版。

市场经济的常规增长。因此，能否找到对以美联储为基础的国际超常购买力的替代，成为中国经济能否超常增长的关键。

其次看供给方面。按照现代经济增长理论，一国经济长期增长率取决于其资本、劳动力和要素生产率的增长。若要素生产率不变，则投资率直接决定经济增长率。①当前，中国面临的主要问题是储蓄过多、投资率过高。因此，经济增长的资金供给方面不存在问题，关键在于如何把储蓄转化为有效投资，如何克服资源环境方面的要素瓶颈。从长期看，增长要素方面诸种瓶颈的制约，既是挑战，也是机遇，是未来的发展空间所在。解决挑战就意味着打开新的增长空间。实际上，能源资源、生态环境、人口素质方面的种种难题，在当代科技水平下皆有解决方案。关键是，解决这些问题，都需要巨额资金。如何解决投资安排，才是真正的难点。

可见，长期增长的供给与需求两方面的难题正好自相矛盾。一方面，国际超常购买力消退，导致有效需求不足，储蓄过多；另一方面，解决各种增长要素的瓶颈和生态环境问题均面临资金供给不足。因此，需要探索恰当的机制将两者联结，用瓶颈要素供给方的投资增长对应需求方的过多储蓄。

实际上，今天的消费不足与产能过剩只是短期现象。产能过剩的是常规制造业，消费也只是家庭部门吃、穿、住、行的私人

---

① 此处所谓的现代增长理论，是指哈罗德教授与多玛教授（Roy F. Harrod, 1939; Evsay Domar, 1946）之后，由诺贝尔经济学奖得主罗伯特·索洛教授（Robert M. Solow, 1957）提出的经济增长模型。此后，不少学者对此加以扩展，提出多部门增长模型，但实用意义不明。由另一诺贝尔经济学奖得主卢卡斯教授（Robert E. Lucas, 2009）及罗默教授（Paul M. Romer, 1986）提出的新增长理论，则将知识与技术进步纳入其中。

消费。一旦引入消费扩展、消费升级、产业升级、城市发展、生态建设、环境保护、能源转型、人力资源开发等变量，消费与投资共同成长的未来空间则无比巨大。

一、消费升级与产业升级

对于消费升级与产业升级，关键在于全面正确地理解未来的消费构成，进而理解相应的投资与产业结构。

（一）基本消费

这里指目前为满足社会基本生活水平直接发生的消费，通常涉及吃、穿、住、行这些人口再生产的基本方面；在经济发展过程中，基本消费随之扩大，必然包括教育培训、医疗保健、文化娱乐、旅游度假等方面。事实上，改革开放以来中国国民消费已经经历了长期、稳健、快速的增长。尤其是20世纪90年代后半期以来，增长速度更为强劲。虽然在改革发展的前期和部分时间里，消费占GDP的比重有相当程度的下降，但随着大规模重化工业为基础的投资浪潮的逐渐稳定，消费增长的速度开始提升。至少在过去10年中，中国社会消费品零售总额的增长已经实现与GDP的增长同步。①

就支付能力而言，基本消费增长与扩展的前提是居民收入的相应增长，这是一个收入分配问题。但从消费内容来说，能够

① 国家统计局历年公布的《国民经济和社会发展统计公报》显示，在过去10年中，社会消费品零售总额实际平均增长率为15.65%，高于同期中国实际GDP增长率。

被分配的收入必须先被生产出来。因此，从根本上说，消费增长要有生产增长，即投资的增长。如吃的方面，粮、油、蔬、果、肉、蛋、奶、茶，提高人均消费必须增加总产量，因而必须增加水、土、肥、工等方面的投入，国土改造与农田整治这样的基础工程投资便不可或缺。再如住的方面，社会保障房的提出意味着中国已将住房权纳入社会基本必需消费资料范围。在中国的文化背景下，拥有住房是一个基本需求；从现代经济增长的经验来看，社会的大多数成员拥有一份稳定的职业和一处自有住房，是一国社会稳定、经济长期发展的必要条件。在市场经济的条件下，住房同时具有消费和投资的双重功能，而有投资则必然有投机以及泡沫。如果仅仅依靠商品房市场自发运行，必然会有相当数量的低收入群体无法解决住房问题。以中国未来15亿人的总数，即使仅仅考虑占总人口30%的中低收入者，社会保障房的建设也将是一项规模极其庞大的投资。它涉及巨额的资金投入，带动的建筑材料、建筑行业的发展将不可限量。此外，国家推行义务教育与免费基本医疗，存在着与住房相似的问题。很少有国家把这两部分完全推给市场机制。中国作为社会主义国家，理应承担更多义务，保障投入。而这一切自然要求扩展学校与医院的数量，增加教师与医生，因此还是离不开投资。可见，从长期看，基本生活资料的消费、生产与投资，其实是同一过程的不同方面。

（二）消费升级

除了上述基本消费的成长与扩展之外，未来消费成长的另一个长期驱动力还在于消费升级，而消费升级的主战场在中产阶层和相对富裕的群体。目前，这部分中、高收入人群的比例与数量都在较快成长中，未来的人数预估在5亿—10亿，由此带动的消费成长空间无比巨大。但是，目前中国的这部分较高端购买力一部分流向了国际市场，一部分因不能得到实现而被压抑。除了品牌服装、珠宝钟表、美容化妆、高档汽车等传统进口产品之外，甚至食品、奶粉、教育、医疗保健这类原本很少国际化的消费项目，也已经大幅度地成为进口消费。中国内地出境旅游者的“扫货”行为、以互联网为基础的国际代购、香港与广东形成的持续的跨境采购等现象，都表现出中国内地正大量向国际市场输出境内消费能力，且呈放大趋势。国家旅游局的数据显示，2011年中国出境旅游人数为7 025万人次，同比增长22.4%。①同年，中国人出境旅游花费达到726亿美元，约合人民币4 500亿元。②在服务消费方面，单从教育产业看，《国际人才蓝皮书：中国留学发展报告2012》显示，2011年中国出国留学人数达33.97万人，占全球总数的14%，居世界第一。③按人均每年支出30万元计算，教育消费外流金额便达到千亿元规模。而医疗保健方面，健康旅游团、专业咨询公司提供出境旅游保健服务的规模在不断扩大。

造成这部分中、高端消费流入国际市场的根本原因，在于国内相应高端消费产业的品质、品牌与服务水平相对落后。虽然中国的制造业已取得长足进步，但其质量并未随规模的扩大同步提升，

① 国家旅游局:《2011年中国旅游业统计公报》,2012年10月。

② 国家外汇管理局:《2011年中国国际收支平衡表》。

③ 王辉耀编:《国际人才蓝皮书:中国留学发展报告2012》,社会科学文献出版社2012年版。

如高档汽车、相机、电子信息产品的核心部件、高端医疗器械甚至绿色环保地板、中空玻璃等，中国的制造业尚不能完全提供相应产品；即便如纺织服装等一些制造工艺水平已达世界一流的行业，也因为缺乏品牌号召力，仍无法为高收入群体提供高附加值的产品。加之国内监管时有不足，某些行业存在着重大的产品安全隐患，加剧了国内消费者不理智、盲目信赖和采购进口产品的行为。因此，解决天量消费能力外流的根本办法在于大力提升消费产业的水准，从而满足国内消费者对产品和服务日益提升的品质标准要求，这也是消费升级的前提。而消费产业的升级，必然涉及相关产业设备、材料、技术、管理的全面进步，否则消费升级便无从谈起。也就是说，消费升级本身就包含了扩大产业规模、打造产业链和增加投入的迫切需求。而这一切，均离不开投资。

（三）产业升级

消费升级要求消费品产业升级，消费品产业的升级则离不开为消费品产业提供生产资料的关联产业升级。无论是基本消费，还是消费升级，都对装备、材料、物流等产业提出了更高的要求，而这些离不开科技进步，离不开投资。国家发展规划提出七大战略性新兴产业作为优先发展目标，无疑是从中国整体战略角度作出的选择，也是决定今后几十年中国国际经济竞争力的关键。①

除了国家优选的战略性新兴产业，还有两类重要的产业升级任

① 七大战略性新兴产业，指国家战略性新兴产业规划及中央和地方的配套支持政策确定的七个领域（23个重点方向），“新七领域”为“节能环保、新一代信息技术、生物、新能源、新能源汽车、高端装备制造业和新材料”。参见国务院发布的《“十二五”国家战略性新兴产业发展规划》。

务：一是借助信息化与新材料的进步，对传统产业进行系统改造，对其产品、消耗、污染状况全面改进。相关工作量大面广、任务艰巨。二是适应与引领消费升级，高水平地快速发展多层次消费产业群，尤其是教育、医疗、健康、文娱、度假等现代服务性产业。如果说战略性新兴产业发展的关键是科技突破，那么，传统产业改造与消费产业升级则主要是体制与管理问题。如果持之以恒，处理好体制问题，则其对拓展新的增长空间将有显著作用。

需要强调的是，产业升级的主战场应该是持续提高制造水平。基于目前中国制造业规模巨大、制造水平经长期积累已取得显著提升的现状，一些专家学者提出从“中国制造”转向“中国创造”的口号。这种呼声符合中央关于建立创新型国家的大战略，但是，若把“创造”定义为“在全球科学前沿领域，完成对新产品、新工艺从无到有的突破”，那么这种“创造”在相当长时段，不可能在中国的产业升级中扮演主战场的角色。究其原因，在钢铁、机械、材料、汽车等多数产业里，中国所面临的主要问题并不是创造新的产品，而是将业已存在的产品制造水准提升到国际先进水平，从而实现现有产品的技术升级、品牌升级乃至价值升级。以汽车产业为例，国内自有品牌的汽车价格目前很少突破20万元，而且产能相对过剩，销售利润极低；相比之下，价格动辄百万元以上的豪车，几乎全为国外品牌，不但价高利丰，且市场需求旺盛。相似的例子几乎涉及每一个行业，而此类差距基本可以归结为制造水平的差距。其实，在制造与创造之间，还有一个精密制造的范畴。中国制造首先应进入精密制造的领域，简称精造。在未来数十年中，从“中国制造”转向

“中国精造”，应该成为中国产业升级的主题。要实现中国产业升级，自然需要设备、材料、劳动力质量以及管理水平的全面提升，因此涉及包括物质资本投资和人力资本投资在内的长期而庞大的资本积累。

值得注意的是，上述消费升级和产业升级的问题，也与当下的热点——“中等收入陷阱”相关。所谓中等收入陷阱，是世界银行在《东亚经济发展报告(2006)》中首次提出的。它指在经济发展过程中，一国冲出贫困陷阱(人均GDP低于1 000美元)、奔向“起飞”阶段(人均GDP 1 000美元—3 000美元)之后，长期挣扎在某一水平，难以突破人均GDP 1万美元的大关，通常停留在人均GDP 3 000美元—5 000美元的中等水平。①世界银行因此认为，一国“起飞”阶段采用的发展战略和增长机制，不适用于该国从中等收入经济体跨入高收入经济体行列阶段。显然，在上述中等收入陷阱的论述中，并未具体说明一个国家长久挣扎在中等收入状态的原因。实际上，所谓中等收入陷阱，其实是产业结构陷阱。②若一国产业结构停留在中低端水平无法升级，就无法为中、高端消费者提供相应的产品与服务。这必然使消费能力外流，但依赖国际市场满足国内高端消费又导致无法在国内形成相关产业群；而国内较高端产业缺失，使较高收入的就业岗位缺失，抑制国内中产阶层的形成。在这种背景下，极易产生社会收入分配陷阱。按照库兹涅茨的理论，在经济起飞初期，收入分配状况

---

① Indermit Gill, et al., *An East Asian Renaissance: Ideas for Economic Growth*, World Bank Publications, 2007.

② 这一观点来自奇瑞汽车股份有限公司董事长尹同跃在上海办公室与笔者的谈话记录。

是变坏的；而随着从中等收入阶段向高收入阶段迈进，收入分配情况又会好转。①然而如果产业结构停滞，收入分配的改善也将停滞，收入分配的不公状态就会固化。其后果是社会不稳，反过来又阻碍了企业家的创业、投资和产业升级。因此，所谓中等收入陷阱，追根溯源，是产业升级的陷阱和收入不平等陷阱，其背后是国家自主发展能力不足的产物。因此，提高国家自主发展能力，持续推动产业升级，关系到中国经济的可持续发展。

二、城镇化

产业升级和工业化过程的持续推进，必将为中国城镇化提供长期、坚实的依托，从而避免重蹈拉美国家覆辙，即缺少产业经济支撑的虚假城镇化。在此背景下，中国城镇化的潜力取决于农民市民化的需求。据估计，目前中国城镇人口约为7亿，其中2亿左右是并未被真正城镇化的、具有流动性的务工者。②另外，按照中国总人口将达到15亿、最终农村人口约4亿起算，将有3亿人从农民转变为城镇居民。两项合计则将有3亿—5亿人在未来20年成为城市居民和现代消费者。宏观地说，这等于再造一个美国。③可以想象一下，按此城镇化规模需要新建住宅1

---

① Simon Kuznets, "Economic Growth and Income Inequality", *American Economic Review*, 1955, Vol.5, pp.1—28.

② 国家统计局《2010年第六次全国人口普查主要数据公报》显示，居住在城镇的人口为6.66亿人，同时，居住地与户口登记地所在的乡镇街道不一致且离开户口登记地半年以上、不包括市辖区内人户分离的人口为2.21亿人。

③ 根据美国人口调查局进行的2010年美国人口普查数据显示，美国当年人口为3.08亿。U.S.Census Bureau, "Resident Population Data: Population Change", 2010。

亿套左右，并需兴建配套的城市教育、医疗、文化等公共服务和基础设施，由此创造的基本建设的需求将会是一个难以想象的天文数字。况且，几亿人口的新增城市消费者，对于商品的消费需求将是一个长期持续的巨大增量。所以，将城镇化作为未来相当长时间内中国经济最具推动力的主题是现实可行的。当然，目前已经进行的城镇化存在着诸多问题，如大中小城市比例失调，土地城市化快于人口城市化，农民市民化过程没有得到同步发展，一些地方近年来还发生了农民“被城市化”的现象等。解决好这些问题，将为中国经济实现长期发展提供更大动力。

三、生态与环境

（一）生态建设

一国人民的生活水平、品质及幸福程度，不仅取决于家庭直接进行的私人消费，而且依赖于社会共同进行的公共消费。其中，尤为重要的是与中国国情切实相关的生态环境类消费。

生态环境是一国生存之本源，同时也是最为原始、基础的消费资料。蓝天、绿地、净水、新鲜空气、安静的街区、对于自然灾害尽可能大的防控能力、对于大规模流行病的有效防疫体制，这一切，在解决了吃、穿、住、行这类基本问题后，就成为决定人们幸福指数的重要指标。然而，当代中国人拥有的生态资产令人担忧。虽然国土广大，但雪域高原、戈壁大漠、荒山野岭占了大半；虽有世界性冰川融水滋养的长江、黄河横贯国土，但人均可用水资源已低至危机状态；南水北调，其实从长远看是无水可调；虽然拥有世界上最为多样的奇异风光，但西高东低的地势与特殊的大气环流，使国家各类自然灾害繁多，不但水涝干旱可以同时发生，更有台风、地震、泥石流、沙尘暴时时侵扰。

因此，在中国，优质生态环境的消费必须来自长期生态资产的积累。而生态资产的积累，可分为两大类：一是国土综合整治，所谓山、水、田、林、路、矿、城，样样有挑战。二是气候改良，核心是改变降雨量的地理分布，使西北地区变绿，从源头上治理漫漫黄沙。这一挑战更为巨大、更为困难。除了科技，就是投资。简言之，欲积累生态资产，必先进行生态投资；欲提升生态环境的公共消费水平，必先提高国家对生态环境的投资水平。消费就是投资，这是生态经济的辩证法。

（二）环境保护

过去30多年，持续高速的经济增长也给环境带来了前所未有的压力，较之改革开放初期，全国环境污染程度更甚，某些重大环境污染事故已经严重影响了人民的健康生活。在一定程度上，中国过去30多年的高速发展是以牺牲环境为巨大代价的。当然应该看到，近年来，国家对环境保护的重视和举措都显著加强。随着工业升级及更多清洁能源的使用，一些新的高效技术的研发和推广，以及环保法律政策的推行，工业污染控制取得明显成效，使得大多数工业污染的势头得到遏制。但是考虑未来几十年的长期增长，即使污染物的排放总量得到控制，甚至降低，经过几十年累积后产生的主要污染物仍将给国家的长期生态造成灾难性后果。所以必须超越经济成本的概念，探索建立在国家民族长期健康生存发展基础上的高速增长。

2010年，国务院发布的《关于加快培育和发展战略性新兴产业的决定》明确将节能环保作为七大战略性新兴产业的首要产业，同时，也将对环保影响最大的新能源和新能源汽车列入其中，这预示着环保事业在中国的战略性高度。同样，环保问题主要不在技术，而在于投入，即需要有效的一次性资金投入，提高节能环保技术的进步，最终提高循环经济的水平，使污染物的排放不仅在总量上降低，而且最终走向无害排放。也就是说，环保和节能产业必将成为一个潜力巨大的主流产业，为全社会的可持续发展提供支撑。

四、能源与资源

中国地大物博，但按人均资源占有量来看，其实是资源弱国。按照邓英淘教授的概括，①除钨和稀土储量较高外，中国主要资源的人均占有水平均远远低于世界平均水平。如耕地(相当于世界平均水平的30%)、林地(13%)、草原(33%)、淡水(24%)、煤炭(47%)、石油(32%—64%)、水能(61%)、铁矿(48%)、铝(33%)、铜(29%)等。另一方面，中国资源的质量较低、退化严重。例如缺少高品位的大型铜、铁矿，煤的含硫量较高；草场退化率在80%以上，经过改良的人工草场不及草场总面积的2%；森林质量低，中幼林和疏林比重大；全国受到各种侵蚀、导致国土资

① 邓英淘:《再造中国，走向未来》，上海人民出版社2013年版，第241—242页。

源退化的面积已近中国陆地总面积的60%，国土资源生产力和价值都不高。同时，资源、人口和生产能力的结构匹配状况趋于恶化。大约90%以上的人口和工业生产能力集中在黑腾线（从黑龙江黑河至云南腾冲一线）以东地区；而一半以上资源分布在此线以西，但其人口与工业加工能力所占比例不足10%。这种结构分布失调导致资源的可及性下降，长途陆路运输成本高昂，使很多资源丧失经济利用价值，更使中国人均资源实际可能的占有水平进一步下降。而且，随着工业化与城镇化的推进，中国能源的需求还会相应增长。因此，从未来可持续增长的要求看，能源与其他资源的短缺将是极为严重的问题，其中，能源保障更是至关重要。

（一）能源转型

能源问题可能是中国未来增长的首要问题之一。中国要在2050年前全面实现现代化，人均GDP达到发达国家水平，则人均能耗与全国能源需求总量必然多倍增加。从根本上说，发达国家的高人均GDP水平是与其高人均能源使用水平密切联系的。按照世界银行在《世界发展报告（1999）》中以购买力平价计算的结果，人均收入水平高的国家同时也是人均能耗高的国家。1999年，日本人均能耗是中国的4.96倍，人均GDP为7倍；美国的人均能耗是中国的9.4倍，人均GDP为8.8倍；欧洲发达国家的人均能耗是中国的4—7倍，而人均GDP为5—7倍。①在同一年份，日本、美国、经济合作与发展组织（OECD）国

① 计保平：《经济增长与能源消费的关系》，http://www.bjpopss.gov.cn/bjpssweb/n8874c52.aspx。

家的人均一次性能源消费量分别为5.8吨标煤、11.6吨标煤、6.7吨标煤，而中国仅为1吨标煤左右。①因此，按照2050年中国人口15亿，人均能耗达到5吨标煤(即OECD国家1999年水平的约75%)，则届时中国总能源需求将高达75亿吨标煤，是2000年能耗(13亿吨标煤)的5.8倍左右。这一庞大数字对全球能源政治与生态环境都将有颠覆性影响：

> 在今天的模式下，中国和印度如果要达到与工业化国家相若的人均收入水平，就需要一个既超过全世界能源资源禀赋，又超出地球生态系统吸收能力的能源使用水平。

因此，国际能源署期盼：

> 所有国家——中国、印度、工业化国家和全球社会的其余部分——共同合作，迅速转向一种真正的可持续的生活方式。②

可见，中国未来持续经济增长的关键，在于转向可持续的能源结构。目前，中国过度依赖煤炭、石油等传统化石能源的能源消费结构是难以持续的，多元化是必由之路。能源结构多元化包括可再生能源的开发、传统能源中新品种能源的开发，以及新技术基础上的新能源的开发。此外，还包括节能技术的推广

① 参见邓英淘：《新能源革命与发展方式跃迁》，上海人民出版社2013年版，第33—34页；Japan Energy Conservation Handbook, 2008。

② 国际能源署：《世界能源展望2007》。

和能源使用效率的持续改进。

1．可再生能源开发

因为其环境友好的特点，可再生能源具有特别的吸引力。一般认为，可再生能源是指最近 100 年左右、依靠阳光而产生的能源（不包括地热能）。大体可以分为如下几种：

水能——利用水的落差，驱动涡轮机发电。中国技术可开发量 5.42 亿千瓦。①

风能——由风力涡轮机聚集形成的风电场。中国陆上与浅海可开发风能在 10 亿千瓦以上。②

生物质能——包括以植物材料、动物粪便为燃料的发电。中国农作物秸秆、林地废弃物、边际植物合计可提供生物质能约 40 亿吨；按 1.5∶1 的比率折标煤，约合 26.67 亿吨标煤。③

太阳能——包括由光伏电池和大型聚光镜聚集阳光转化为电能的集中式太阳能发电设施，以及绿色建筑和屋顶太阳能热水器发电的分布式太阳能发电。

另外，如果电动汽车的电池所含的电来自上述可再生能源，这种电池也就成为可再生能源的一种。

中国可再生能源潜力极为巨大。开发使用这些可再生能源涉及技术与成本两个方面。就技术而言，水电、风电及分散式太阳能的利用技术基本已经解决；虽然有些技术（如太阳能聚光方面）还有待

---

① 国务院新闻办公室：《中国的能源政策（2012）》白皮书，2012 年 10 月。

② 何祚庥、王亦楠：《风力发电——我国能源和电力可持续发展战略的最现实选择》，《自然辩证法研究》2004 年第 10 期。

③ 有关生物质能的数据，参见邓英淘：《新能源革命与发展方式跃迁》，上海人民出版社 2013 年版，第 7—8 页。

最终突破，但技术进步已经很快，只要资金充足，现有技术障碍的突破和已有技术的进一步改进都不需要太长时间。技术之外，还涉及建厂、存储、输变电等大工程。这说到底，还是资金筹措的问题。就发电成本而言，目前虽高于传统燃煤电厂，但如果计入燃煤的污染成本并将其分摊到发电成本中，则很可能改变可再生能源发电与燃煤发电的相对成本。同时，随着可再生能源技术的改进，尤其是规模的扩大，其成本仍存在较大的下降空间。最重要的是，可再生能源取之不尽、用之不竭，又不产生环境污染，它应是中国实现能源可持续发展目标的一项核心工程。

2. 传统能源的新发展

多年来，传统能源尤其是关于石油即将枯竭的预言屡现。中国、印度等大型新兴经济体的崛起，加剧了世界石油资源供求的不确定性。但是，国际著名能源专家丹尼尔·耶金教授在检验了各种数据与事实后提出：在较长一段时间里，石油等传统化石能源仍然会担任主要能源供给的角色。首先，虽然新油田的发现速度正在放缓，但勘探技术的进步，尤其是海洋勘探的发展，仍在不断拓宽、提高石油的开采水平。①其次，已开发的油田在开采过程中不

① 在日益增长的全球能源需求推动下，技术进步使人们向以前没有接触过的地区和能源种类进军，非常规传统能源的开发得到了空前发展。海洋深水石油开采异常活跃，成为世界石油工业的新战场。2009 年底，全球海上勘探井和生产井的总数大约达到 1.4 万口，深水石油产量从 2000 年的 150 万桶/天，激增至 2009 年的 500 万桶/天。其中最具潜力的深水区域被称为金三角，包括巴西、西非和墨西哥海域。2009 年墨西哥湾的浅海及深水作业区产量占到美国石油总产量的 30%，使美国石油产量实现了 1991 年以来的首次增长。从现状看，世界探明的石油储量在 2011 年底超过 2009 年初的水平，达到了 1.65 万亿桶。根据全球 7 万个油田、共 470 万口油井的数据库分析，世界石油没有走向枯竭的明显证据，全球石油总储量继续呈上升趋势。以现有情况分析，还要经历许多年的增长，才会达到石油产量平台期。参见[美]丹尼尔·耶金：《能源重塑世界》，朱玉犇等译，石油工业出版社 2012 年版，第 210 页。

断发现新的储量。①再次，由于油价升高，许多没有开发的油气资源得到了开发。其中巴西海岸线的海床盐层下的石油、加拿大巨大的油砂、委内瑞拉奥利诺科重油等非常规油气资源的开发也纷纷取得重大突破。石油的概念已包含了越来越多的形式。据估计，到2030年，这些非常规石油产能将占到总产量的三分之一。②

特别值得一提的是美国的页岩气革命。从页岩中提取天然气始于1821年美国纽约弗雷多雷亚的一个页岩段，但一段时间以来技术和成本均存在困难，并不具有经济可行性。21世纪初，美国戴文能源公司将压裂技术与水平井钻井技术结合，启动了页岩气的革命。页岩气革命使北美的天然气预计储量达到3 000万亿立方英尺，可以满足未来至少100年消费。2000年，

① 在石油生产方面的关键事实是“世界大部分石油供应不是石油发现的结果，而是油田储量及后期新增储量的结果”。由于人们对刚发现的油田知之甚少，因此，最初的储量评估往往趋于保守。随着油田的开发及更多的油井建成，人们对于油田的了解加深，探明储量也会增加。以美国为例，美国地质调查局的研究表明，美国86%的石油储量属于后期开发阶段的新增储量，而非新增油田所取得的储量。参见[美]丹尼尔·耶金：《能源重塑世界》，朱玉犇等译，石油工业出版社2012年版，第210页。

② 巴西的盐下构造和加拿大的油砂开发已经见效。巴西的盐下构造：桑托斯海盆绵延800英里，与巴西南部海岸线平行。海床下面是平均厚度超过1英里的盐层。初步勘探表明，海盆的盐下构造埋藏着丰富的石油资源，目前第一口油井成功穿过了6 000英尺的海水达到海床，然后钻井继续进尺达1.5万英尺。据估算，这口超巨型油井至少拥有50亿到80亿桶的可采储量。时任巴西总统卢拉将这一发现描述为巴西的“第二次独立”。现任总统罗塞夫称“盐下石油是我们通向未来的护照”。加拿大的油砂：由渗入沙泥之中的黏性沥青组成，平常以固态存在，只在天气变暖时可有少量变成黏稠的液体渗出地面，加之主要存在于加拿大的寒冷地区而难以开采。直到20世纪90年代末，技术进步和政府在税收、管制等方面的推动才使油砂成为一项规模巨大的商业资源。1997年以来共计1 200亿美元流向了加拿大阿尔伯塔省的油砂项目，使产量从2000年的50万桶/天猛增至2002年的170万桶/天，预计2020年可达300万桶/天，这一数字高于当前委内瑞拉和科威特的产量。若加上常规石油，2029年加拿大的石油总产量将达到近400万桶/天。油砂将加拿大提升为世界第五大产油国、世界第二大石油储量国。探明储量由50亿桶增加到1 800亿桶。

页岩气产量仅占美国全部天然气产量的1%，到2011年这一比例提高到25%。预计在未来20年，这一比例有望达到50%。①北美页岩气的大发展正好与液化天然气的大发展不期而遇，2011年卡塔尔液化天然气生产能力达到7 700万吨，占世界总产量的28%。世界液化天然气总产量不断创出新高。

由于天然气相对低碳环保，已经在发电领域发挥作用。而且对可再生能源发电而言，天然气是一种有效而必要的补充燃料。总之，技术的进步，包括常规钻井技术的进步、长距离管道运输效率的提高、液化天然气业务的扩张等，使得天然气的全球使用有望得到持续的增长。而且由于美国天然气市场实现自主，迫使大量液化天然气面向亚洲寻找新市场。

3. 基于新技术突破的新能源开发

除了上述种种能源发展的潜力外，科学技术进步也正推动着新能源革命的到来。事实上，从薪柴时代到煤炭时代，再到油气时代，标志人类社会经济与社会形态的变迁，而其自身又是时代能源挑战所引发的产物。如今，日益严峻的全球能源形势必然催生新一代的能源革命。根据蔡金水的研究，种种迹象表明，世界正处在一场新科技革命的前夜，“世界新能源正面临革命性的突破”。②

---

① 目前美国页岩气领域的主要问题在于环境和政策，焦点一是水资源污染，压裂过程使用化学品可能污染地下水资源；其次是回流水问题，指压裂产生的流回地面的这些“产出液”需要处理、监管、安全排放。参见[美]丹尼尔·耶金：《能源重塑世界》，朱玉犇等译，石油工业出版社2012年版，第303页。

② 蔡金水：《人类的曙光——世界新能源正面临革命性的突破》，《参阅文稿》2013年第5期。本节内容主要来源于此文。

能源科技革命的基础是新的物质观的变革。人类已在颠覆过去的物质观与能量观，大自然中原来没有发现或没有能力运用的新能源正在被不断发现与利用。

真空零点能——现代科学认为真空并非一无所有，而是由正、负电子旋转波组成的系统，它充满时隐时现的粒子和在零点限值上涨落的能量场，其伴生的能量就是真空零点能，或称空间能。它的应用研究目前涉及真空能发动机及质子发动机、空间能发生器、特斯拉线圈等。其中任何一项突破，都会为能源利用打开难以估量的空间。这一领域，中国与美国均已投入研发。

磁能——地球是一个大磁场，现有发电机也都是用金属粒子切割磁力线产生电流。因此，科学上可以设想，建立一张巨大的金属导线直接切割地球磁场的磁力线，将产生满足人类需要的足够电力。在应用层面，一种有“磁王”之称的钕铁硼强磁铁(有 1 公斤吸住 4 吨重铁的记录)提供了用此发动机的可能。有报道说，中国科技部规划提出要研究基于永磁电机的新型牵引传动技术，中国南车公司的永磁牵引系统已在电动汽车领域进行商用，在地铁领域进行的测试已超过 7 000 公里。①

原子能技术突破——核电站虽然经济，但现有技术是核裂变，原料是铀，不仅有伤害人体的强大核辐射，而且需要进行复杂的核废料处理。1979 年美国三里岛、1986 年苏联切尔诺贝利、2011 年日本福岛，一系列核安全事故暴露了现有核能技术的巨大风险，使核能利用蒙上阴影。但是，科学界的努力正在推动安全可靠的

① 仲玉维、刘春瑞:《高速列车将继续提高速度》,《新京报》2012 年 4 月 19 日。

新的核能技术突破。美国方面，微软创始人比尔·盖茨选择支持“行波堆”技术，即通过对抑制堆芯燃料的分布与运行，改变裂变反应，使燃烧之后的核燃料再转化为可用燃料而充分焚烧；就是说，现在只能废弃的铀同位素，乃至简单转化后的核废料，在“行波堆”中，可直接深度焚烧而产生能量。因此“行波堆”除启动时需浓缩铀外，运行后无需换料，也不产生核废料，从而使核能成为安全可靠的强大能源。中国方面，除了已经在类似上述“行波堆”的“快堆”技术上有重大进展，更加致力于开发更为安全、清洁、便宜的钍基反应堆。[①]钍元素不但储量大，而且提炼容易，不产生二氧化碳；用钍建成的发电站不用担心堆芯熔毁，发电过程中的辐射物质仅为现有核电站的0.6%。如能建成“行波堆”或者钍基核电站，并广泛使用，将根本改变人类能源结构。

此外，还有热核聚变、氧核冷裂变、亚氢反应堆、量子套隐形传输等多种前沿及未来技术，科学家们也都在研发攻坚。总之，宇宙中充满能量，囿于科技发展水平大多不能利用，但随着新的科技突破，人类在自然界中将能汲取无穷尽的能源。

4. 分布式能源体系与智能电网开发

所谓分布式能源就是改变原有集中开采、集中加工、分散消费的传统能源经济模式，利用太阳能、风能、生物质能等可再生能源在地球上扁平分布的特征，建设分散式电源/热源，并通过智能电网加以系统联结。

---

① 据时任中科院副院长李家洋教授表示，目前国内已探明的铀矿储量比较有限，中科院正在重点研发采用钍元素进行裂变的核电技术，这将有助于解决国内核能发电的原材料瓶颈问题。2011年初，中科院宣布计划用20年左右时间研发钍基熔盐堆核能系统。参见陈贺能：《钍元素：核能开发新思路》，《北京日报》2011年6月29日。

分布式能源推广的重点在分布式发电，它使每个国家、城市的每幢建筑与每个家庭都能从自然界中就近获得能源。相对于集中发电的大型机组而言，分布式发电设施通过多个中小型电源汇聚为总的发电能力；相对于过去小型独立电源而言，其容量分配和布置有一定的规律，满足特定的整体需求，可以解决过去分散电源难以入网、难以使用的难题。其中，分布式太阳能前景尤为广阔。光伏发电有移动、独立、小型等特点，利用建筑屋顶（及墙面新型材料），不但不占土地，而且楼顶发电楼内使用，没有传输损耗，还能提供昼夜电差，消除峰电压力。

农村用能是分布式能源最有潜力的地方。中国农村用能的特点在于：一是规模大，农村能源消费占全国总能源消费的43%；二是生活用能占比大；三是主要消耗生物质能。据统计，全国每年大约烧掉秸秆 2.2 亿吨，木柴 5 000 万立方米。①

分布式能源体系的实现条件是智能电网技术，即让家家户户发电，所发电量全部上网而非自己使用，从而避免了电的储存困难。根据里夫金教授的论述，②利用互联网技术将大洲电网转化为能源共享网络，成千上万的建筑物就地生产少量能源，其多余部分即可接电网回收，也可被各大洲通过联网而共享。

（二）水、土及其他资源

中国水资源匮乏，人均水资源量为 2 100 立方米，仅为世界

---

① 曾晶、张卫兵:《我国农村能源问题研究》,《贵州大学学报(社会科学版)》2005年第 3 期。

② [美]杰里米·里夫金:《第三次工业革命——新经济模式如何改变世界》,张体伟、孙豫宁译,中信出版社 2012 年版。

人均水平的28%。[1]在中国2.8万亿立方米水资源总量中，每年却有7 300亿立方米的水资源流出国境或者流入中国与他国共有的河流。[2]可见，中国并不是完全缺水，而是缺少充分利用水资源的能力。西部水多但人少，大量水资源白白流入印度洋；东部人多但水少，即使“南水北调”也解决不了东部整体缺水这一根本问题。根本解决之道是“西水东调”，把雅鲁藏布江与“三江并流”之水适当调入长江黄河的东向水系。这项被称为“溯天工程”的大事，本来存在着重大技术与生态难题，如调水提水工程所需的在横断山区建设大型电厂的技术困难，在西部地区首先“南水北调”的输水管道问题等。[3]但随着风电技术与隧道工程技术近年来的重大进步，技术问题已基本解决。剩下的仍是资金问题：这项工程涉及天文数字的投资，周期极长，但它关系长久国运，意义深远。

中国也不缺地，问题是可用地占国土面积的比例太小。目前，国家将18亿亩耕地作为底线坚守，是完全必要的。[4]中国作为将拥有15亿人口的大国，不可能指望由国际粮食市场解决本国的吃饭问题。因此，在土地单产已经达到较高标准、难以再大幅度提升的条件下，必须保持现有耕地的规模。[5]但是，城镇

---

① 李国英：《在黄河论坛水与粮食安全分会上的讲话》(2012年9月26日)，http://www.mwr.gov.cn/ztpd/2012ztbd/dwjhhgjlt/ldjh/201209/t 20120927_329961.html。

② 矫勇：《在国新办就当前水利形势和水利“十二五”规划等方面情况举行的新闻发布会上的讲话》(2011年10月12日)，http://www.mwr.gov.cn/hdpt/zxft/zxzb/slxs。

③ 郭开等：《溯天运河——南水北调工程》，《中国统计》1999年第2期。

④ 2006年，十届全国人大四次会议上通过的《国民经济和社会发展第十一个五年规划纲要》明确提出，18亿亩耕地是一个具有法律效力的约束性指标，是不可逾越的一道红线。参见国土资源部网站。

⑤ 2010年全国粮食平均亩产达331.5公斤，http//www.stats.gov.cn/tjfx/grgd/t20110301_402706373.htm。

化也是中国可持续发展中另一个必须达成的目标。如前所述，未来二三十年中，将有三四亿人从农村居民转变为城镇居民。因此，必然需要将几千万亩土地变成城镇用地。当然，提高城镇土地利用率是一个值得探讨的政策议题。但是城镇化的目的是为了提高生活质量和水平，因此应尽量避免中国香港、新加坡的做法，即将大量人口集中在成片密集的超高楼房中，而应尽可能地考虑建设绿色城镇和人性化工厂，为人民生活与生产提供适宜的空间环境。①在此背景下，要同时实现保障粮食自主和以人为本的城镇化这两大战略目标，唯一的出路只能是增加有效土地的供给。当前，国家坚持耕地占补平衡的原则，即建设城市占用多少耕地，就应补充同样数量的新增耕地。长期看，应将这一原则进一步扩展为前瞻性、综合性的有效土地增长战略，科学而系统地增加有效土地供给。

所谓增加有效土地供给，包括两个方面：一是“造地”，即将大漠、荒山、荒滩等经过综合整治，转化成或宜林、或宜耕、或宜居的可用地。而这种“造地”，并不存在技术上的根本难题，最为关键的是资金。二是“改地”，即对现已使用中的土地加以改良，提高其土地品质和产出率。目前中国的农业耕地中经过高标准农田建设的比例不高，若将现有农地全部按照高标准进行农田基本建设，在地块分割、农田水利、绿化防风乃至灌溉技术等方面统一规划，用持续不断的资金和劳力的投入来实现此

① 根据中国香港特区政府网站公布的2011年人口普查数据显示，2011年香港全境的人口密度为6 544人/平方公里，其中香港岛及九龙的人口密度分别高达15 924人/平方公里、44 917人/平方公里。根据新加坡政府网站公布的2010年人口普查数据显示，新加坡的人口密度约为5 270人/平方公里。

规划，届时，可能并不需要18亿亩耕地即可保障全国的粮食安全。①与此相关的另一个议题是，如何提高林地、牧草地和海洋空间的利用率。中国林地、牧场面积均是耕地规模的2倍左右，②但当前利用率和生产率仍处于较低水平。近年来通过退耕还林、退耕还牧及集体林权制度改革的不断深入，调动了全社会造林绿化的积极性，各种生产要素加速向林业流动，林地、物种、市场和劳动力的潜力得到充分释放。截至2011年，已将1.78亿公顷、97.8%的集体林地承包到农户。③通过改进技术、增加投入、提升管理水平，可以持续有效地提高林地、牧草地的生产率，大力发展以林下种植、林下养殖、相关产品采集加工和森林景观利用等为主要内容的林下经济，将在一定程度上实现对传统土地产品的替代。

不论是“造地”、“改地”，还是利用林地、牧草地等资源，均不存在根本性技术壁垒，只要在长时期内保持稳定的资金投入，就可逐步提高中国可用地面积，这是解决土地问题的根本方法。

---

① 2012年3月16日，国务院批准实施《全国土地整治规划(2011—2015年)》，对“十二五”期间的土地整治提出再建成4亿亩旱涝保收高标准基本农田；补充耕地2 400万亩；整治农村散乱、废弃、闲置和低效建设用地450万亩；历史遗留损毁土地复垦率达到35%以上。参见毛志红、杨磊：《2012耕地保护亮点纷呈》，《中国国土资源报》2013年1月18日。

② 中国耕地面积为121.72万平方公里，林地面积为236.09万平方公里，牧草地面积为261.84万平方公里。参见国家统计局编：《中国统计年鉴2012》，中国统计出版社2012年版。

③ 过去10年间，全国累计完成造林面积8.63亿亩，比上一个10年增加近1亿亩，是历史上造林面积最多的10年。10年来，在全球森林资源持续减少的大背景下，中国实现了森林面积和森林蓄积量的双增长。全国森林面积由23.9亿亩增加到29.3亿亩，森林蓄积量由113亿立方米增加到137亿立方米。参见《10年造林8.63亿亩国土绿化步伐全面加快》，新华网2012年6月16日。

其他资源，包括有色、黑色、有机、无机等各类资源，中国有丰有歉。其中，钨和稀土较丰裕，而铁、铜、铝等金属资源的人均占有量则显著低于世界平均水平。但是，大宗资源基本上都处于全球性市场经济的交易网络之中，大部分资源问题最终也还是资金问题。必须注意的是，由于中国、印度等大型新兴经济体大宗资源的需求长期走旺，使得这些产品的价格从长期来看呈上升趋势。同时，由于这些大宗资源都是金融期货交易的对象，存在着被金融寡头操纵牟利的机会，并非处于常规意义上自由竞争的市场经济。所以保障中国大宗战略性物资的供应安全，不单是资金问题，更是如何有效使用资金的问题。应该探索股权投资、定向贷款、套期保值、货物贸易等多种方式有机组合的专项管理。

总之，看似困难重重的能源、资源、水源与土地问题，根本上说，无一不是资金问题，无一不是如何筹资、谁来投资的问题。

五、人力资本与技术创新

（一）人力资本

“人口红利”消失是目前担忧中国长期发展前景的重要论点之一。[①]其实，过去的所谓人口红利指的只是简单劳动力数量

① 目前学界也存在对“人口红利”这一说法的质疑，比如陈东琪教授（2008）通过对中国统计数据的研究，认为即使是以改革开放以来的整个经济增长过程来看，也无法判断人口红利是经济增长的主要推动因素。真正推动改革30年经济增长良好表现的是制度创新、技术进步和人力资本这三种因素推动的劳动生产率的持续提高。参见陈东琪：《经济增长与劳动生产率——探寻改革三十年经济高速增长的原因》，载吴敬琏等编：《中国经济50人看三十年——回顾与分析》，中国经济出版社2008年版。

大、工资低这一状况。这种人口红利随着农村剩余人口的逐步减少，会逐步消失；同时，从经济发展以人为本的价值目标出发，它也是必须消失的。我们不应该将国家经济增长的希望建立在大多数劳动人口的低收入上。

但是，上述那种以农村剩余人口为基础的人口红利消失，并不等于与人力资本有关的人口红利的消失。中国未来新发展阶段的产业变动将以消费升级与产业升级为主题，因此迫切需要的劳动力已不再是直接从农民转型过来的简单劳动力，而是经过系统培训的、高素质的、技能型、专业型劳动者队伍。从战略性新兴产业发展、传统产业改造，到高端消费产业与服务业的长期成长，对专业型、技能型劳动者的需求极其庞大。因此，旧的低水平的简单人口红利消失了，新的更高水平的技能人口红利还有待开发，关键是健全合理的职业培训体系，以及其中需要的资金投入。

(二) 技术创新

有人认为，中国是以高投入、低效率为代价，才实现了经济高速增长；甚至有人断言，中国经济增长中未产生显著技术进步。实际上，改革开放以来，中国经济不仅在总量上超常增长，而且在产业结构的变迁和劳动生产率方面都发生了持续进步。今天，中国国民经济中的大多数产品在改革开放之前甚至并不存在，例如电子信息、网络、高铁；即使那些在改革开放之前就已存在的产业，如钢铁、水泥、汽车等，也在产品的制造规模、制造工艺、制造效率上有了长足的进步。在高新技术领域，中国不但完成了“神舟”飞天①、“蛟龙”潜渊②、“嫦娥”会“战神”③、“辽宁舰”出航④等壮举，也成为高铁技术输出大国。

当然，与发达国家相比，中国目前不论在前沿尖端科学领域，抑或在主体产业部门的技术水平上，都还存在着实质性的差距。比如中国虽然不乏自主品牌汽车，但多为中低端市场产品，基本没有宝马、奥迪那样的高端品牌汽车；中国是工程机械制造大国，但是大动力的发动机还依赖外国，甚至液压传动系统也需要进口；中国每年建造住宅的面积居全球之冠，建材产业的规模也十分庞大，但高端住宅的玻璃、地板仍需依靠进口或合资企业，电梯基本依靠外资企业；在微电子产品的消费与制造方面，中国都是世界大国，但是核心芯片仍需依赖进口。也正因为如此，中央提出建设创新型国家的战略任务，大力推动发展战略性新兴产业部门。值得关注的是，建设创新型国家不能只把眼光放在世界前沿科技的赶超和突破上；未来几

---

① 2003年“神舟”五号首次载人发射成功后，又陆续成功发射了“神舟”六、七、八号等载人或搭载模拟人的飞船。2012年6月16日，“神舟”九号发射，18日执行了与“天宫”一号自动交会对接任务，29日返回地面。它标志着中国较为熟练地掌握了自动交会对接技术及载人航天技术的进一步成熟，也是中国太空载人历时最长的一次。

② 2012年6月27日，“蛟龙号”载人潜水器最大下潜深度达到7 062米，实现了中国深海装备和深海技术的重大突破。

③ 2012年12月13日，“嫦娥二号”卫星在距离地球700万公里外的深空，成功飞越探测以西方神话中“战神”图塔蒂斯命名的小行星。“嫦娥二号”与图塔蒂斯小行星由远及近擦身而过，交会时的相对距离被控制在15公里左右，相对速度近11公里/秒。交会时“嫦娥二号”星载监视相机对小行星进行了光学成像，真正实现了“轨道测得准、卫星控得住、图像拍得好”的工程目标。目前，“嫦娥二号”卫星距地突破2 000万公里。

④ 2012年9月25日，中国首艘航空母舰“辽宁舰”正式交接入列。

十年中，中国面临的更为经常和广泛的挑战，还在于主体工业部门的产品升级以及相关的应用型研究开发。如前所述，中国能制造现在世界上的大多数技术密集型产品，问题是，在产品等级、内在品质，乃至产品体现的人文气息等方面存在着实实在在的差距。要消灭这些差距，需要的不是个别的、一次性的重大突破，而是要靠持续、广泛、扎扎实实的累积型改进。从加工手段、工艺，到操作人员的技术、经验以及产品的检测与营销，涉及的是整个价值链各个环节的持续改进。而且，这种持续改进经验需要关联产业的同步发展。这就是说，解决主体产业部门的技术与产业升级，需要一个涵盖国民经济主要部门的、充满活力的技术与管理的应用型研究和开发体系。这里不存在不可克服的壁垒，当前亟待国家层面的投入支持与长期推动。

六、国防建设

中国改革开放以来的超常增长，也是坚持和平发展战略的成果。从邓小平确立和平发展的战略以来，中国赢得了全球化过程所提供的难得一遇的几十年国际和平大环境，坚持以经济建设为中心，充分利用国际、国内两个市场与两种资源，从而实现了超常规的跨越式发展。然而，进入21世纪以来，世界战略格局已发生了深刻的变化。随着中国成长为世界第二大经济体，其发展战略与产业政策在相当大程度上影响着全球经济态势。反过来，全球经济的变化，尤其是金融产业和战略资源领域的

“风吹草动”，也会随时影响中国的经济发展。

中国的目标是和平发展，但是，历史的教训和现实的逻辑告诉我们：敢战才能言和；持久和平需要强大的国防。贫穷落后不一定挨打，但富而孱弱却肯定难逃被人欺凌的厄运。①所以，大国之间的实力平衡，是保持和平的必要条件。在历史上，有过多次内部发展形势大好，却终因外部暴力的介入致使发展中断的惨痛教训。宋朝时期，经济、文化高度繁荣，②但金兵南下，终结了北宋政权；蒙古铁骑又踢翻了南渡后的南宋政权。清末，洋务运动拉开了中国近代改革的序幕，但甲午一战，强横的日本海军直接宣告了洋务运动的破产，最终导致清王朝覆灭。20世纪二三十年代，中国民族资本趁西方各国自顾不暇之时迅猛发展，但“九一八事变”与卢沟桥的枪声，又一次粗暴打断了中国民族经济发展的进程，同时将中国推入多年战争的苦难之中。

因此，正是为了和平发展的可持续性，中国必须有只争朝夕的紧迫感，打造能够维护民族独立、领土完整和不受他人侵犯的国防力量。

不仅如此，国防建设中取得的国防科技突破往往也是推动国家科学技术进步的重要力量。第二次世界大战以后，美国和其他发达资本主义国家迎来经济发展的黄金时代，很大

① 参见朱维铮：《挨打必因落后?》，载《重读近代史》，中西书局2010年版。

② 据麦迪森(Maddison)估算，公元960年北宋赵匡胤登基称帝，中国当时总人口为5 500万，人均GDP为450元(1990年美元)。不论是人口还是人均GDP都高于同时期的欧洲。参见[英]安格斯·麦迪森：《中国经济的长期表现——公元960～2030年》，伍晓鹰等译，上海人民出版社2008年版。

程度上就是得益于战后一部分尖端军事技术转为民用。很长一段时期内，许多人认为苏联的垮台是由于其过于重视国防军工，以至于拖累整个国民经济。其实，这种看法极为片面。从历史上看，美国国防预算几十年都处于增长状态，2011年美国国防预算超过7 000亿美元。但是美国国防支出体制与苏联不同，不是军工与民用绝对分开，而是采取军民结合的开放式体制。①所以高昂的国防开支不但没有使美国经济滑坡，反而在很长时间内成为美国经济发展的强心针。

因此，对于中国而言，只要理顺国防工业与民用工业的关系，实现两者的良性互动，那么，进一步加大国防建设力度，则不仅是国家安全的需要，而且也将为从根本上提升科技水平与工业能力提供强有力的推动。

七、积累、投资与消费

综上所述，推动中国超常增长的内外因素确已发生重大变化。但是，中国作为最大的发展中国家的基本性质没有改变。

① 长期以来，一些军事强国均高度重视把国防和军队需求融入国家战略总体发展布局中。美国从举世瞩目的“曼哈顿”工程计划，到“星球大战”计划，再到“数字地球”战略，均贯彻了“平战融合”的国防思想。法国一项统计表明，85%的现代核心技术同时也是民用关键技术，均可以直接用于军事目的。目前，美国生产军用品的企业中有80%以上也在同时生产民用品。海湾战争中，为保障在海外的数十万军队作战需要，美国国内有80多个信息技术部门为军队筹划信息资源和作战物资，有38家航空公司、几十家海外运输公司和7个州的铁路部门为军队提供运输力量支持，有73家大公司提供食品和药品服务。伊拉克战争中，美军更是动员了航天、航运、电子、计算机、网络等专业领域的10多万名信息化资源维护保障人员，以确保联合作战行动的顺利实施。参见欧阳兆标：《现代战争：凸显融合制胜趋势》，《解放军报》2011年9月22日。

即使转向内生型经济增长的道路，供给与需求两方面仍存在着新一轮高速稳定增长的空间与基础。

目前的普遍观点是：积累、投资和消费的宏观比例失衡是过去30多年中国经济增长的重大缺陷。“三低三高”现象的产生，不只是源于政府发展战略和经济政策，也是中国经济在工业化爬坡过程中适应客观经济规律的表现。如第一章所述，随着一国经济从轻工业转向重化工业，随着大规模城市化，人均固定资本持续增加是一个内在的要求；国民产值中越来越大的部分将会变成物质资本的积累，而较小的比例变成消费。所以，消费在国民收入中的占比趋于降低，是国家工业化、城市化加速阶段的自然现象。同时，在工业化初期，由于中国存在大量的农村剩余劳动力，使得劳动力需求极易得到满足，因此工资、收入水平在较长时间里增长相对较慢。实际上，中国不同地区的发展状况也反映出上述特征。根据张军教授的研究，对各省市统计数据的分析表明：越是发达地区，消费占GDP的比重越低。①

按照同样的逻辑，随着国家工业化的持续发展，必定会出现一个拐点，消费占国民收入的比重达到最低点后逐步反弹、趋向提升。此时，整个国家人均资本加速积累的阶段基本结束。就中国而言，已经有证据表明，近年来消费占比已经开始回升。李稻葵教授等构建的中国经济居民消费率曲线在2007年后呈明显的U形反转趋势。②据他们估算，居民消费率从最低

① 张军：《理解中国经济快速发展的机制：朱镕基可能是对的》，《比较》2012年第6期。

② 李稻葵、徐翔：《市场机制是中国经济结构调整的基本动力》，《比较》2012年第6期。

点35.99%提升至2009年的47.11%。需要注意的是，上述居民消费率中并没有完整包括居民住房、教育、医疗等方面的消费，这些消费存在着长期被低估的现象。如果对住房、医疗、教育等消费进行更加准确的统计，居民消费占比将会有较大提升。①

与消费相关的是居民可支配收入。GDP中，中国居民可支配收入占比过低，外贸顺差占比过高。和上述情况一样，这两个指标近年也已经开始改善。同样是李稻葵教授的上述研究显示，外贸顺差占GDP的比重从2007年的8.8%下降到2011年的2.1%。种种迹象表明，中国外贸顺差占比还将继续下降。同时，进口上升快于出口下降，表现出中国内需持续走强。

总之，即使没有大规模的政府干预，市场机制自身的力量也会推动中国经济宏观比例逐渐走向平衡。以中国经济的庞大规模，不可能继续依靠巨额贸易顺差来支撑经济增长，而只能转向依托内需拉动。但是，内需拉动不等于消费拉动。中国近年来在政策上不断向消费倾斜，并且提出“十二五”期间收入倍增和建设市场大国的构想，这无疑是必要的。不过，从宏观经济学的常识来看，通过人为调整消费率来提高消费水准，从而拉动经济成长，只能在短期有效，在中长期是完全不可能成功的。②因

---

① 美国学者较早指出过中国统计低估消费率的问题，参见 Arvind Subramanian, *Eclipse: Living in the Shadow of China's Economic Dominance*, Washington, D.C.: Peterson Institute for International Economics, 2011。

② 林毅夫教授与朱天教授、张军教授均已指出，靠消费拉动经济增长是经济学上的悖论。薛京：《林毅夫：任何时候都不能提出以消费拉动经济增长》，《中华建筑报》2012年11月9日；朱天、张军：《被误读的凯恩斯理论》，《经济观察报》2012年9月24日。

为，要增加消费，先得生产可供消费的产品。而无论是扩大生产规模，还是提高生产率，都有赖于投资。从长期看，投资即是消费，它是提升未来消费的必要条件。

从本章的分析可以看出，中国远未完成跻身发达国家行列所需的人均资本积累任务，工业化、城镇化仍在如火如荼地进行中。考虑到特有的生态禀赋与地缘格局，中国若想实现社会长治久安与人民安居乐业，离不开长时期大规模的投资与资产积累。因此，要在生态资产、环保建设、国土整治、人力资源、科学技术、城镇基本建设、国防能力等诸多方面尽快积累起足以保障国家长期生存发展的“家底”。同时，正确处理积累、投资和消费的关系，仍是重大的战略问题。随着未来几十年工业化、城镇化的逐步完成，消费率适当上升和投资率适当下降是一个必然的长期趋势。但是，从长远计，还必须倡导创业与奋斗，坚持投资与积累。欧美消费社会与福利社会模式，中国不仅现在不能效仿，就是进入发达行列也不能完全照搬。

第五章 Chapter five 新增长阶段的超常增长

一、走向2049年的增长图景

未来几十年，以2013—2049年的36年计（不含2049年），中国经济能达成怎样的增长？

首先看常规增长。如第一章所述，迄今为止的前30多年平均年增长达到了9%以上，其中，属于市场经济常规增长的部分约7%，另外的2%以上则来源于中国特色的超常增长机制。假设到2049年的未来36年中，前18年的常规增长率降至6%，后18年降至4%，全部36年的常规增长率为平均每年5%。应该说，这一假设不算乐观。①

再来看超常增长的力量。供给方面，基本框架不变，只要对

---

① 关于中国未来增长，国际上有多种不同统计预测，但基本都认为中国中长期增长率是良好的。其中，埃肯格林教授（Eichenggreen, 2012）等预测2012—2020年增长率为6.1%—7%，2021—2030年为5%—6.2%；李钟和教授（Lee, Jong-wha）等人估计2011—2030年的中位值为年均6.1%；威尔逊教授（Wilson, 2007）等的估计结果略低，2008—2030年的年均增长率为5.8%；诺贝尔经济学奖得主福格尔教授（Fogel, 2007）的估计明显乐观，他预测2001—2040年的长时段中，年均增长率为8.4%；比较悲观的是著名经济史家麦迪森教授（Maddison, 2007），他预测2004—2030年的年均增长率为5%，不过他的估计是个人判断性的，并不是像其他研究者那样基于某一明确的模型。

现行的三维市场体制加以改进便可以保持超常投资力，从而继续保障超常增长投资支撑。需求方面，虽然美联储驱动的国际超常购买力不存在，但是，从第四章的分析可以看出，不难找到内生的超常购买力解决需求方面的超常拉动，那么似可假设平均每年还能叠加约 2 个百分点的超常增长。这就意味着，2013—2031 年前 18 年的年均增长率将提高至 8%左右，2032—2049 年后 18 年为 6%左右，36 年年平均增长率为 7%左右。

36 年平均每年增长 7%，意味着什么？

(一) 走向 2049 年的 GDP 总量

按照上述增长率，中国 GDP 在 2030 年和 2049 年，将会达到什么数量级？表 5.1 与图 5.1 显示了增长前景。

表 5.1　中国经济增长前景(2013—2049 年)

年份	常规增长率（%）	超常购买力贡献的增长率（%）	超常增长率（%）	常规增长下GDP 总额（万亿元人民币）	超常增长下GDP 总额（万亿元人民币）
2013	6	2	8	50.00	50.00
2017				63.12	68.02
2022				84.47	99.95
2027				113.05	146.86
2031				142.72	199.80
2032	4	2	6	148.43	211.79
2037				180.58	283.42
2042				219.71	379.28
2047				267.31	507.56
2049				289.12	570.30

注：表中年份均为年初期，即 2013 年的值为 2012 年的年末值；2049 年的值为 2048 年的年末值，故 36 年严格说不包含 2049 年。

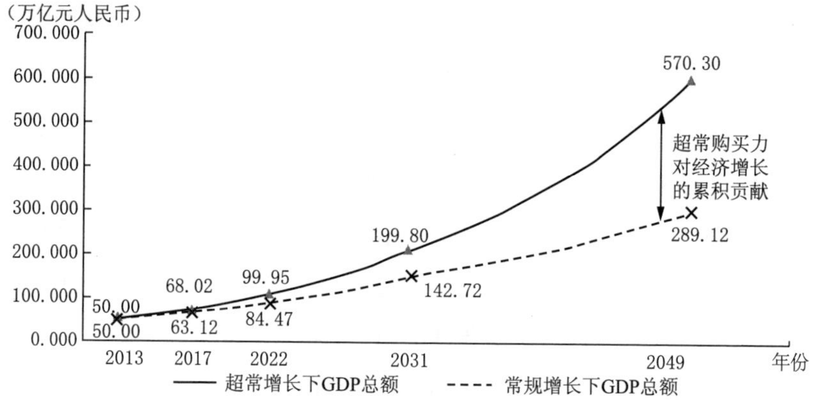

图5.1 中国GDP增长预估(2013—2049年)

从中可以看出，以假设的年均7%增长率计，36年后的2049年，中国经济总量将达到大约570万亿元人民币。如按5∶1的美元汇率计，则中国经济总量为114万亿美元。按人口规模15亿计，则人均GDP约为38万元人民币或约7.6万美元。

中国GDP达到570万亿元人民币或114万亿美元，这是什么概念？

假设同期美国经济年均增长2%，则其36年经济总量将增长约1倍，届时约为32万亿美元。这就是说，到2049年，即使按5∶1的汇率计，中国经济总量也将达到美国的3倍多。当然，按中国人口15亿、美国人口3亿计，在人均GDP方面，中国仍会低于美国，大约是美国人均水平的70%强。

有意思的是，此处的模拟性预测与美国诺贝尔经济学奖得主罗伯特·福格尔教授的预测相当一致。①福格尔教授估计

① Robert Fogel, "Capitalism and Democracy in 2040: Forecasts and Speculations", NBER Working Paper, No. 13184, 2007. 关于福格尔教授的具体估算，见本书附表10。

2000—2040年间，中国GDP平均增长将达到8.4%，GDP规模将达到123万亿美元，人均GDP达8.5万美元；他也估计美国经济会以较高速度（平均3.8%）保持增长，届时GDP总量将达到41万亿美元强，人均10.7万美元。因此，2040年时的中国与美国GDP比较，总量约是美国的3倍，人均是其近80%。而且，福格尔教授逐项评估了中国经济长期发展中的约束与风险因素，包括劳动、金融、国企、环境、社会稳定、政治分化等；在此基础上，他还是确认了上述预测。

（二）走向2049年的重要宏观经济比例

首先，达成上述经济增长率需要什么样的投资水平？在目前流行的新古典增长模型中，经济增长率决定于生产要素的投入，包括资本投入、劳动投入和被称为技术进步的余项。另外，在新古典增长模型之前，还有比较简单的哈罗德—多玛增长理论，将劳动投入当做资本投资的派生变量，只通过投资水平和投资效率来推算经济增长。两种估算方法的最终结果是相同的，不同点在于新古典增长模型计算比较复杂。为简便起见，我们使用老式的哈罗德—多玛增长模型，即：

GDP增长率＝投资率/资本产出比

如前所述，资本产出比是新增投资与新增GDP的比率，因此经济增长率等于投资率除以资本产出比。

按此公式，给定中国未来长期经济增长率，要推算所要求的投资率，就必须先对资本产出比作出估计。可以预计，与过去几十年相比，中国未来30年的资本产出比可能略微下降。原因在于，中国经过几十年的急速工业化，资本产出比已经达到高峰，今后几十年中，随着第三产业比重的提高，社会总的资本产出比理应有所降低，至少不会升高。为了计算方便，可以假设中国的资本产出比在未来 36 年基本保持不变。按照相关期间总投资和总 GDP 增长计算，1978—1994 年中国的资本产出比为 3.5，1995—2010 年为 4.1，1978—2010 年总的资本产出比接近 4。所以我们假设今后 36 年的资本产出比仍为 4。

从国际先例看，这个假设是有依据的。美国的资本产出比大致经历了先升高后趋于稳定的过程。若简单用 10 年间的总投资和总 GDP 增长测算，可以发现，美国资本产出比在 1945—1954 年间为 2.5；到 1965—1974 年间上升为 3.6；此后则在 3.5—5 之间波动，直到爆发次贷危机。①

按照未来 30 多年中国资本产出比保持在 4 的判断，就可根据前述经济增长率计算出相应的投资率。未来 36 年中，前 18 年预计增长率为 8%，乘以资本产出比，必要的投资率为 32%；后 18 年增长率估算为 6%，相匹配的投资率为 24%。也就是说，要达到前 18 年年均 8%的增长率，要求维持 32%的年均投资率；要达到后 18 年 6%的增长率，则要维持每年 24%的投资率。目前，中国的投资率接近 40%，因此和过去 30 年比，未来两个时段的投资率将显著降低。

---

① 该测算根据美国经济分析局(BEA)数据。为了进行国际比较，还可以采用国际货币基金组织(IMF)数据。根据 IMF 数据，美国 10 年总资本产出比稳定在 6 左右，和英国类似。日本则由于增长停滞，10 年总资本产出比一路上升，21 世纪已达到 40 左右。印度的 10 年总资本产出比也已接近 4，说明印度工业化也已取得相当成就，资本产出比有了较大上升。

其次，再看消费率。在估计消费率之前先要对未来的贸易顺差和政府支出作出假设和推算。

关于贸易顺差。以中国这么大体量的经济规模，不可能持续靠贸易顺差来实现经济增长。目前中国的贸易顺差占GDP比重已经从危机前（2007年）的8.77%下降到现在（2011年）的2.61%。未来贸易顺差可能继续下降，但可保持某种较小比例的贸易顺差，如1%。为了计算方便，从稳健的原则出发，我们假设未来经过短期如4年时间的过渡，中国实现进出口贸易平衡，也就是到2017年贸易顺差为0。

关于财政支出。2011年中国财政支出109 247.79亿元，占GDP的23.1%。目前没有理由改变财政支出的比重，但为了简化计算，假设GDP中财政支出占比为20%。此外，2011年的财政支出中有63 616.1亿元用于消费，约占GDP的13.4%；政府用于投资为14 843.3亿元，约占GDP的3%；财政支出的其余部分主要为转移支付。假定这些比例也保持不变。①

再看GDP中的消费占比。按2017年贸易盈余归零，即没有贸易顺差，GDP中用于投资的部分为32%，其中政府投资贡献为3%，因此私人部门和地方政府的自筹投资合计应占29%。

因此，与32%的投资率对应，GDP中用于消费的部分是

---

① 这里的政府投资不包括各种预算外资金投资。中国地方政府的投资大量来源于预算外资金如土地出让金收入，以及通过银行和金融市场融入的债务资金等。例如，2010年地方政府的土地出让金共28 197.7亿元。其中，除了支付拆迁成本16 732.23亿元，大多投向农业农村建设、城市建设和保障性安居工程，共投资10 244亿元。同年，全国和地方政府有关的债务余额为107 174.9亿元。其中，除去尚未支出部分(10.3%)和土地收储支出(10.62%)，投资于公益性基础性设施的资金有92 749亿元，占债务余额的86.54%。

68%。其中，由政府预算发生的消费部分占13%以上，由私人部门发生的消费占55%。

简言之，如果资本产出比保持在目前的4这个较高水平，那么，实现未来36年年均7%的增长，即使外贸盈余降到0，即完全转入内需驱动的经济增长，我们也仍然可以把投资率从目前的接近40%降低到32%，从而把消费率从目前的约50%提升至68%。应该说，这样的投资与消费结构是与未来更加注重民生的平衡发展战略相符合的。表5.2具体显示了这一情形。

二、寻找内生的超常购买力

中国经济未来36年继续超常增长所需要的超常购买力是什么概念？按超常购买力为GDP的2%计，2013年GDP约为50万亿元，则该年超常购买力应为1万亿元；2049年GDP为570万亿元，则该年超常购买力应为11.4万亿元。经过36年累计，超常购买力总量将达到170万亿强。也就是说，未来36年的经济增长如不考虑超常购买力，常规增长率年平均可达5%。这部分主要依靠消费升级、产业升级、城镇化、信息化、农业现代化等常规市场力量的推动。加上超常购买力后，则有望年平均增加2个百分点，达到7%，为此，需要构建总投资额约170万亿元的超常购买力。

但是这一庞大的超常购买力究竟从何而来？一方面，解决供给瓶颈以及生态建设需要筹集巨额资金；另一方面，填补国际超常购买力的空白也需要巨量资金的持续支出。显然，解决之道

表 5.2　中国未来 30 多年超常增长条件下的 GDP 构成模拟表

年　　份	2013	2014	2015	2016	2017	2018	2023	2028	2033	2038	2043	2048	2049
总投资额(万亿元人民币)	16.0	17.3	18.7	20.2	21.8	23.5	34.5	50.8	53.9	72.1	96.5	129.1	136.9
占 GDP 比重(%)	32	32	32	32	32	32	32	32	24	24	24	24	24
—非财政投资额(万亿元人民币)	14.5	15.7	16.9	18.3	19.7	21.3	31.3	46.0	47.1	63.1	84.4	113.0	119.8
—占 GDP 比重(%)	29	29	29	29	29	29	29	29	21	21	21	21	21
—政府财政投资额(万亿元人民币)	1.5	1.6	1.8	1.9	2.0	2.2	3.2	4.8	6.7	9.0	12.1	16.1	17.1
—占 GDP 比重(%)	3	3	3	3	3	3	3	3	3	3	3	3	3
总消费额(万亿元人民币)	33.0	35.9	39.1	42.5	46.3	50.0	73.4	107.9	170.6	228.3	305.6	408.9	433.4
占 GDP 比重(%)	66	66.5	67	67.5	68	68	68	68	76	76	76	76	76
—居民消费额(万亿元人民币)	26.5	28.9	31.5	34.3	37.4	40.4	59.3	87.3	141.4	189.3	253.3	338.9	359.3
—占 GDP 比重(%)	53	54	54	55	55	55	55	55	63	63	63	63	63
—政府消费额(万亿元人民币)	6.5	7.0	7.6	8.2	8.8	9.5	14.0	20.6	29.2	39.1	52.3	69.9	74.1
—占 GDP 比重(%)	13	13	13	13	13	13	13	13	13	13	13	13	13
贸易盈余额(万亿元人民币)	1.0	0.81	0.58	0.32	0.0	0.0	0.0	0.0	0.0	0.0	0.0	0.0	0.0
占 GDP 比重(%)	2	1.5	1	0.5	0	0	0	0	0	0	0	0	0
合计 (GDP 总额，万亿元人民币)	**50.00**	**54.00**	**58.34**	**63.02**	**68.02**	**73.46**	**107.90**	**158.65**	**224.52**	**300.42**	**402.05**	**537.99**	**570.30**

注：2013 年 GDP 是指 2012 年末，该年实际数值为 51.93 万亿元；此表的目的是模拟未来，且在制表之时尚未公布 2012 年统计数值，故简便起见，将 2013 年的 GDP 假设为 50 万亿元。 且 GDP 中投资占比与消费占比也按前文分析，分别设定：其中投资占比设定由 32%降至 2033 年的 24%；消费占比设定由 66%上升至 2017 年的 68%、 2033 年的 76%；而贸易盈余则设定由期初的约 2%，到 2017 年降低到零，即进出口平衡。

正在于能使上述看似矛盾的两个方面互为答案。

解决供给要素瓶颈和生态资产积累需要的是长期投入，回报极不确定，市场性企业一般没有投资意愿。而超常购买力的特征恰恰是长期支出，不在乎财务回报。这是因为任何购买力只要追求投资回报，就会成为市场常规的购买力，而对总需求没有任何超常规的功用了。因此，只有用超常购买力去提供生态建设和战略性要素瓶颈的资金来源，才能同时解决上述两个难题。

但是，机制是个难点。超常购买力由谁提供？用什么方式提供才能收到超常购买力之功效呢？既然市场机制无法成为超常购买力，那么，国家财政的支出是否可行？显然也不行。这是因为国家财政的超额支出必然造成额外财政赤字，反过来又会引起通货膨胀，从而影响常规的市场运行，挤压常规的市场投资，最终抵消财政购买力的正面作用。因此，常规的国家财政不可能提供真正的超常购买力。

那么，中国能不能像美联储那样，通过发行超额货币来提供超常购买力呢？更不可能。人民币不是美元那样的国际货币，过度发行人民币必然导致国内通货膨胀，破坏经济增长与民生安定。更重要的是，即使今后人民币国际化有所进展，也不能通过过度发行货币来创造购买力。如第三章所述，美国近几十年大搞美元霸权基础上的虚拟经济，虽然短期收益良多，但长期看后遗症太大。在美联储提供超常购买力的几十年中，虽然没有引发美国通货膨胀，美元的国际货币地位继续维持，但付出的长远代价则是美国实体经济受损，金融产业泡沫累积，国家财政债台高筑，最终不但难以为继，还给国家长期发展造成了难以消除的深层危机。

那么，中国内生的、有效的超常购买力在哪里呢？

有效的超常购买力应该是在提高当前有效需求的同时，对市场机制的正常运行没有影响，或说影响“中性”；在实施过程中，超常购买力的支出不对财政赤字造成重大影响，且能形成企业正常的收入和利润；在过程终点，历年超常购买力的使用结果对于国家长期的经济健康不但没有负面影响，反而可以产生积极正面的建设作用。这一有效的超常购买力在其年度使用中可以不在乎中、短期投资回报，但能在长期使用中形成有效的资产和收益能力，从而最终可以回归常态，融入市场体系。

有鉴于此，有必要设立综合性的国家发展战略性投资基金（简称国家发展战略基金），实施对生态资产与战略性资源的长期投资；为常规市场运行注入超常购买力，建设并运营最终形成的国家发展战略性基础资产。

国家发展战略基金要达至超常购买力之功，必须做到：(1)资金筹集不构成财政赤字；(2)资金投放不挤压市场化投资空间；(3)资金投放/配置的结果是形成支撑国家长期发展基础构架的必要资产。其中，后两条其实是同一内容的正反两面说法，关键在于明确国家发展战略基金的投放领域。

三、超常购买力的投放领域

前述新增长阶段的生态资产积累与供给要素瓶颈，正是支撑国家长期发展的基础条件，是国家发展战略基金投放的领域。

下文关于生态环境领域的介绍主要依据邓英淘教授的长年研究成果。由于涉及的技术与产业内容的复杂性，加之在专家中本身存在着不同观点，因此其中涉及的所有数字都为大致匡算，只能作为大略的方向与范围，目的是展示中国长期健康发展所必须解决的几项超级课题的可解性。①

（一）塔里木盆地光热土水资源的综合利用

新疆南疆地域宽广，光、热、土、矿、油等资源丰富，但地表大多被沙漠占据，年降水量仅几十毫米，当地经济与社会文化难以发展。其中塔克拉玛干沙漠总面积约34万平方公里（5.1亿亩），占全国沙漠面积的47.3%。

塔克拉玛干沙漠日照丰富，年平均日照数约3 000多小时，但因技术、成本制约，长期得不到充分利用。其地下水资源亦十分丰富，达8万亿立方米，②但多为苦咸水，传统上亦无法利用。随着近年来科学技术的进步，陶瓷中空平板型太阳能板的问世从根本上解决了传统太阳能板生产成本高、使用寿命短的难题。③通过建设陶瓷太阳能板发电，每度电成本可降至0.15元—0.2元，可以大规模淡化苦咸水，从而带动农、工、商与城市发

① 邓英淘教授与他的伙伴王小强、崔鹤鸣等人，多年以来上下求索，问道中西，几乎跑遍大半个中国，形成"再造中国"的新发展方式理论与政策建议。参见邓英淘：《新发展方式与中国的未来》，上海人民出版社2013年版；《新能源革命与发展方式跃迁》，上海人民出版社2013年版；《再造中国，走向未来》，上海人民出版社2013年版。

② 中国科学院塔克拉玛干沙漠综合科学考察队：《塔克拉玛干沙漠地区水资源评价与利用》，科学出版社1993年版。

③ 曹树梁：《大尺寸黑瓷复合陶瓷太阳能板（上、中、下）》，《调查研究通讯》2009年第9、10、11期。

展，并有望使上亿亩的土地得到开发，形成千万人的定居地以及极庞大的电力输出。

邓英淘教授等经反复研究论证后认为：

> 可在和田河以东、台特马湖以西的地域铺设5万平方公里的陶板，毛产电力约5万亿度（每平方公里陶板产电力约1亿度）。①这些电能一部分用于从沙漠下面提取苦咸水进行淡化；另一部分用于抽水蓄能，解决太阳能电力的间歇性和波动性的问题；更多的电能用于本地的工农业生产和向外输出。②

其核心流程如图5.2所示。

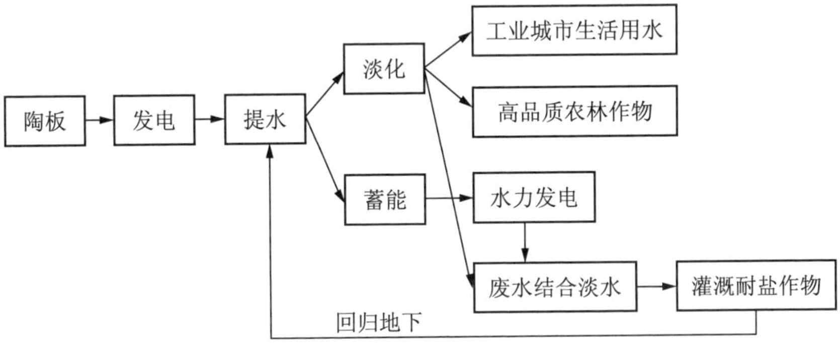

图5.2　改造沙漠核心流程示意图

① 每平方米面积阳光最强辐射功率约1千瓦，塔克拉玛干沙漠可取为0.8千瓦，陶瓷太阳能板热水发电效率取为5%，则其每平方米约40瓦。年光照时数取为3 000小时，则每平方米陶板年产电力120度电，为稳健起见，可取为100度电，则1平方公里陶板年产电力1亿度。

② 邓英淘：《新能源革命与发展方式跃迁》，上海人民出版社2013年版，第154页。

按邓英淘教授的论证，此构想不但在技术上可行，经济上亦是前景良好。投资方面，按每平方米陶板的成本约100元(可使用70年)，每平方公里的成本为1亿元计，铺设5万平方公里即需投资5万亿元。其他投资，如提水与淡化水设备、蓄水池以及输电、输水的设备等，也需要不小的投入，但比起陶板的投资成本仍微不足道。简言之，可以假设全部固定资产总投入在6万亿元以内。经济回报方面，首先，每年的核心产出包括约4万亿度净电能产出、300亿立方米淡水、300亿立方米苦咸水。①按每度电0.40元、每立方米淡水2.0元计算，即使忽略苦咸水，那么上述核心产业的直接收入也将达到1.6万亿元以上。其次，依托上述电力与淡水的核心产出，可将塔里木盆地约4亿亩沙漠开发成良田、牧场和林地。不仅可以收获棉花、高档瓜果、高粱、牧草、木材和牲畜等农林牧产品，还可拉动农林牧业产品深加工行业，如棉纺业、食品业、皮革毛纺产业、饲料产业、板材加工业等的发展；另有上亿亩可用苦咸水直接灌溉的菊芋及海蓬子等盐生植物，可制得2 000万—3 000万吨高能燃料(二甲基呋喃)，进一步带动当地生物基化工业的发展。②再次，农牧业与工业发展必然带动人口聚居与城镇发展。邓英淘教授预计南疆可增加人口1 000万，总人口达到2 000万，其中90%左右为城镇人口，10%左右为农业人口，经营4亿亩土地，可以实现现代化规模经济。新移民扎根南疆图发展，既改变当地人口结构，同

---

① 5万平方公里陶板年产电力5万亿度。其中用于抽取地下苦咸水需耗电360亿度，淡化水需耗电900亿度，蓄能需耗电6 400亿度，故全年净产电能在4.2万亿度左右。

② 参见邓英淘：《新能源革命与发展方式跃迁》，上海人民出版社2013年版，第157—160页。

时亦能提高就业者薪酬水平，改善人民生活。随着人口增加、落户企业增多，南疆亦将逐渐走向繁荣。最后，通过农林牧作物的灌溉和作物的生理蒸发升腾，有可能提升塔里木盆地的平均湿度，使大部分沙漠逐渐变成绿洲，收到改造沙漠气候的功效。果能如此，则将是造福万代的旷世伟业。

（二）溯天运河——西部调水计划

中国水资源的源头在西部，从地形上看是西高东低、南高北低。原本西高东低的走势利于西水东输，但由于喜马拉雅山、横断山、巴颜克拉山交错阻隔，迫使诸水先向南然后再向东流，最后只剩一条黄河流经西北。因此，从西部着手进行南水北调是解决中国水资源问题的根本。郭开教授提出从雅鲁藏布江调水的“溯天工程”后，许多技术专家提供了多种支持方案，然而都因修建高坝与水渠所面临的地质、能源等技术难关而搁浅。如今，中国两项重大技术得到突破：一是垂直轴风力发电技术使发电成本显著降低；二是超长隧道与大型桥涵技术(国产盾构机直径达 13 米)已被广泛使用，使两山之间输水不必沿等高线绕弯转圈，而是直接穿越连接。这样，就可借横断山脉南北走向、风谷众多的地利，分散建设不同规模的风力发电厂，无需变电、输电和电网管理，经逐级风电提水，过了分水岭后，就能实现全部自流。因此，风电提水与隧道桥涵输水技术相结合，使得西部调水工程成为可行之事。邓英淘教授总结认为：

郭开的“溯天运河”设想全程 70%—80% 明渠，调

> 2 000亿立方水，等于三四条黄河，在地质复杂且不断变化的横断山脉，蜿蜒数千公里，现在的技术确实很难想像。明渠过长有危险，地质不稳定，山中间总有断裂带，修建不容易，而且要一段接一段地进入下一条江，纵横交错，维护的风险性太大了。如果有了超低廉价的风能提水，加上超长隧洞和大型桥涵，整个调水工程，可以化整为零，分散开来，哪里风大就建设风电站，哪里有好地形、好地质就建库，提水、蓄水，不用非建一座耸人听闻的大坝，几百亿立方米大水库，让人心里捏把汗，向北输水也不用集中在一条管道，主干明渠的长度可以大大缩短，水量可以大大减少，分解成许多中小水库、中小运河，一截一段，地形、地质有利就集中修大坝、大运河，地形、地质不利就分散修小坝、小运河，有的直接联系，有的不直接联系，甚至跨江越河，多点(提水)、多路、多向，分头并进。①

总之，西部调水工程从技术上看已不存在太大问题，只是投资成本巨大。然而一旦建成，其社会、经济与生态效益之大，无法估算。首先，水利上解决了黄河问题。西线调水按年2 000亿立方米计(黄河年流量在500亿立方米左右)，可保证黄河常年径流量每秒达2 500立方米，郑州到黄河口可通航10万吨级的船舶。第二，造地能力突出。当黄河从地上悬河成为地下河后，可省出近2 000万亩河滩地与河口淤泥地，这

① 邓英淘、王小强：《为了多数人的现代化》，《东方早报》2012年4月10日。

部分土地适宜改造。同时，由于目前高倍吸水树脂技术非常成熟，沙荒地改造技术上可行。西北、华北地区一旦有了水，近20亿亩的荒地将不再闲置，生态条件也将逐步改善。第三，发电能力巨大。据测算，溯天运河的水电、火电合计装机能力达2.76亿千瓦，大约为三峡发电能力的10倍，且造价低廉。第四，吸纳大量劳动力。这项史诗级工程的开工即需要上千万的工程人员及相关后勤服务人员，加上10亿亩沙荒地所需劳动力，溯天运河本身需要的通信、教育、文化、医疗人员，发电产业与新增景区景点提供的就业岗位，数千公里运河沿岸的港口与中小城镇吸纳的人口等，整个西部调水工程创造就业岗位的能力将无与伦比。其实，美国的田纳西工程早已开启了国家级巨型工程优化生态、创造就业、增值资产的先例。

（三）能源经济的结构转变

如前所述，中国目前以煤炭、石油等矿物质能源为主导的能源经济模式是不可持续的。到2050年全面实现现代化，人均用能与全国能源总需求都将增长5—6倍。如果单纯依靠国际石油，则肯定存在国际政治的大麻烦；如主要靠煤炭，则肯定是生态环境的灾难。因此，只能坚决转变能源结构，从目前过度依赖煤炭和石油等化石能源的传统结构，转变为最大限度利用可再生能源的较为平衡的多元能源结构。下文主要讨论可再生能源的开发利用，即水能、风能、生物质能以及太阳能等，这些都有巨大的开发潜力。

根据邓英淘教授汇总分析的资料，[①]中国可再生能源的潜力可归纳如下：

水电——可装机4亿千瓦，年利用4 000小时，发电1.6万亿度；无技术问题。

风电——在可开发的约10亿千瓦陆上与浅海风能中，装机4亿千瓦，年利用3 000小时，约发电1.2万亿度；技术基本过关。

生物质能——农作物秸秆与林地废弃物及1亿公顷可利用边际土地上种草，合计可提供生物质能约合26.67亿吨标煤。另外，2050年约50亿吨禽畜粪便(折干物质5亿吨)，产沼气可发电2 250亿度。涉及的技术问题包括现代化压缩成型技术、高效燃煤技术以及丹麦燃柴发电技术代替燃煤发电技术。这些都是已经应用或基本成熟的技术。

不考虑太阳能，上述各项可再生能源的总量，折成标煤约合37亿吨。按前文测算，到2050年，中国能源需求总量约75亿吨标煤，所以，如果上述各项可再生能源开发到位，可占需求总量的50%左右。同时，上述各项技术均基本成熟，至少不存在根本性障碍，所需的主要是巨额资金的长期投入，通过改进技术与规模化降低成本。

太阳能——中国太阳能辐射能约为1.2万亿千瓦。在集中式技术方面，目前国际上有光伏电站与聚热电站两种技术，均未完全成熟，但技术进步很快，离根本性突破相距不远。与国际先进水平相比，中国存在较大差距，尤其在工程放大与产业化方面差距明显。但就资源而论，在内蒙古、甘肃、宁夏之间的腾格

---

① 参见邓英淘：《新能源革命与发展方式跃迁》，上海人民出版社2013年版。

里—巴丹吉林沙漠，有至少 4 万平方公里宜建大面积光伏电站（恰可与此区域风力发电互补），在新疆东部的吐—哈盆地及罗布泊一带至少可辟出 4 万平方公里，建设太阳能聚光（热）电站，两项相加，合计装机量可达约 30 亿千瓦，年发电可达 4 万亿度以上。加上塔里木盆地光伏板发电 5 万亿度，太阳能发电量可达 9 万亿度以上。除了上述大型集中的太阳能电站外，分布式太阳能利用技术也日趋成熟，其中包括太阳能热水器和太阳能住宅的发展潜力巨大。①如果加上生物质能中的沼气发电，那么，分布式的可再生能源对解决县域及以下地区数亿人口的用电问题将可发挥主要作用。②

显然，太阳能利用的投资将是空前庞大的。它首先涉及技术攻关所需的投入；然后才是电站建设、电力储存、电网输送等各个环节，涉及的投资将以 10 万亿元计。但是，就工程的综合意义而言同样无与伦比。首先，如果用多种手段实现太阳能电力的经济使用，中国能源问题就能从根本上得到解决。其次，太阳能电力少有污染物排放，它所减少的由火电导致的温室气体与粉尘排量将是数十亿吨计的天文数字，对于改善中国环境质量具有根本性意义。

综合起来，可再生能源的利用前景广阔。即使按太阳能电力

---

① 关于太阳能住宅，或者说绿色建筑，是新能源革命中的重要支点。美国未来学家里夫金教授（Rifkin, 2011）在新著《第三次工业革命——新经济模式如何改变世界》（中信出版社 2012 年版）中，把“每幢建筑物都是一个微型发电厂”作为其“第三次工业革命”（其实是新能源革命）的重大支柱之一。

② 邓英淘教授引述翁史烈教授的推测，中国住宅屋顶面积超过百亿平方米，如普及与优化屋顶太阳能装置，则可以产生的热量与能源不可限量。参见邓英淘：《新能源革命与发展方式跃迁》，上海人民出版社 2013 年版，第 74 页。

为 4 万亿度左右计，也可折合标煤约 13 亿吨。加上水能、风能、生物质能提供的约 37 亿吨标煤当量，则包括太阳能在内的全部可再生能源折合标煤当量将可达约 50 亿吨，占 2050 年全国能源总需求的 66% 以上。据此，届时中国煤炭、石油、核能等矿物质能在总能源中的比重仅为约三分之一，折合标煤 20 多亿吨，比 2011 年中国的煤炭产量还少。这就意味着，虽然中国全面实现现代化需要大幅度提高人均用能水平，但只要保证必要的长期资金投入与研发支持，对中国取之不尽的可再生能源合理开发，那么，中国的能源供给就将做到自主与可持续，不仅不会对全球能源政治形成负担，而且使中国环境成本控制在目前水平之下，从而对全球的生态文明建设作出决定性的贡献。

（四）人力资源开发与新人口红利

人力资本作为现代化科技与产业发展的第一要素，其重要性不言自明。而在各类人力资本中，基础研究与前沿科学攻关层面的顶层人才开发，在中国已经得到广泛重视，政府也特别制定了国家级创新的长期纲领与相关政策。相比之下，应用型的人力资本则还没有引起真正重视。

应用型人力资源开发，主要是指专业型、技能型劳动者的培养，其任务是顺应中国产业升级与消费升级的需要，将目前数以亿计的简单体力劳动大军转变为有技能的熟练工人和专业型的白领及服务业员工。根据研究，美国虽然在顶尖科技方面全球领先，但基本工业技术水平却不如德国乃至日本。德国和日本的制造业能够独步天下，一个极其重要的原因就是强大先进的技术工人职业培训体系。①

在德国，通过政府和企业对职业教育的支持与参与，形成了完整的普通劳动者培训体系。如通过有效的甄别和培养体系对青少年进行职业技能培训并提供相应岗位。普通劳动者通过培训体系掌握必要技能，从而成为合格和优质的高端制造业参与者。这不仅保证了制造业竞争力，而且有效提高了整个劳动阶层的收入。

中国作为人口众多的发展中大国，制造业的强大是走向现代化的关键，而服务业的业态与服务水平提升则来自消费升级的需要。因此，专业技能型劳动者队伍建设是国家长期竞争力的战略问题，必须进行整体规划并快速推进。

德国《联邦教育基本法》明确规定，职业教育的费用为 GDP 的 1.1%。②德国 2011 年名义 GDP 为 2.59 万亿欧元，则职业教育费用约为 285 亿欧元，可以用于约 200 万人的职业教育，占其人口总数约 2.5%。目前，德国职业学校学生的培养费用每人每年约 1.5 万欧元。③

参照德国经验，假设中国正规职业教育培训体系以两年制与三年制为主，在校生为人口总数的 2%，约为 2 600 万人，即每年招生与毕业分别约为 1 000 万人。假设人均年度培训费用为 1.5

① J. Hage and M. Garnier, "Education and Economic Growth in Germany", in Corwin (ed.), *Research in Education and Stratification*, Volume 9, Greenwich, Conn.: J. A. I. Press, 1990; J. Hage, B. Fuller and M. Garnier, "The Active State and the Coupling of Education and Economic Growth: France", *American Sociological Review*, December, 1988.

② 张宏志:《政府履行职业教育职责的国际作为范式及启示》,《教育学术月刊》2011 年第 10 期。

③ 段玉青:《德国职业教育经费保障体系对我国西部职业教育的启示》,《教育财会研究》2012 年第 2 期。

万元，则年度职业教育经费约为3 900亿元。20年之后，中国将新增2亿名受过系统培训的高技能工人、技师和专业型高素质服务型员工，从而从根本上保证产业升级与消费升级的实现。同样重要的是，国际经验表明，要在市场经济条件下进行较为合理的收入分配，必须大规模提升基本劳动大军的技能与专业水平，从而提升他们的收入水平。[①]如此，大批劳动人口从简单体力劳动者提升为技能型、专业型的现代化人力资源拥有者，将从根本上改善中国国民收入分配状况，缩小收入分配差距。

但如此大规模的资金投入从何而来？德国的职教经费保障体系是一个多元混合模式，由公共财政和私营经济共同资助，包括企业直接资助、企业外集资资助、混合经费资助、国家资助和个人资助。[②]中国则可以再进一步，由国家发展战略基金中的职业教育基金、地方政府和企业共同按人力资源资本化原则出资职业教育，并合理配置生产率提高产生的收益，使得教育从消费真正转变为投资。

目前除各地方政府兴办的职业教育院校外，民营企业也纷纷开设营利性培训机构。国家战略投资的介入应重在整合提升并快速扩展现有体系，资金上可实现国家发展战略基金、地方政府、民营企业、非营利培训组织多方面联合互补，分步实现全国劳动者的全员培训，形成属于国家发展战略基金与地方财政共同投资持有的职业教育基本资产。

总之，从南疆资源综合开发、西部调水，到能源结构转型与

---

① 这一现象甚至可以从马克思主义的政治经济学角度作出理论说明，参见孟捷：《劳动与资本在价值创造中的正和关系研究》，《经济研究》2011年第4期。

② 高丽：《德国职业教育与培训经费的来源》，《世界职业技术教育》2005年第1期。

可再生能源开发利用，以及人力资本的积累，国家发展战略基金切实可行并大有可为。其他领域，从国土整治到南海开发，从产业升级中的应用性研发体系到海洋经济与国防建设，还有诸多值得国家级战略投入的超级项目。限于篇幅，无法一一描述，以上所述各项，也只是作为示例而已。

四、打造国家发展战略基金

要使高达百万亿级的国家战略投资成为超常购买力，既能创造真实的有效需求，又不产生财政赤字的额外压力，基金的设立与运行体制就成为关键。国家发展战略基金原则上应定位为担负国家战略使命、依托国家信用、面向市场规范运作的准市场型基金体系。其要点是：在国家发展战略基金下，分项设立若干专业性子基金；国家财政提供引导资金，授予基金特许投融资范围，选择性提供国家信用担保，市场化挑选基金管理人；用多元工具多渠道向国内外募集资金，打造市场化、专业化基金运作团队；建立以国家荣誉和长期经济利益并重的复合型长期激励机制；完善建立基金投资决策、咨询与审计体系，促使基金体系在总体上达到有效运行。

（一）伞形基金结构

百万亿级的长期战略基金不可能是单一基金，只能是包含诸多子基金的基金体系。首先，可以在不同投资方向上设立不同的子基金，比如沙漠治理方面设南疆综合开发基金，大西线调水方面设

“溯天工程”基金，南海经略方面设南海开发基金，劳动力培训方面设国家职业教育基金，社会保障房建设方面设国家住房发展基金等。其次，同一个投资方向上可设若干个并行的同类基金，根据情况恰当分工，适度竞争，以利互相学习、比较考核。

（二）资金的财政引导与社会募集

百万亿级的基金不可能依靠财政，但几十年的投资周期也难以像普通市场项目那样吸引社会投资者，因此，需要精心设计资金结构与风险配置。可以考虑设立如下层次：（1）财政引导资金。作为基金的创始资金体现基金的国家战略属性，原则上出资额在基金规模的10%左右，这部分资金不从国家常规财政支出中安排，而可以用目前已经在大型国有企业中积累起来的巨额公有资本进行投资。①（2）核心投资者出资。来自信誉与实力俱佳、且认同中国长期发展前景的投资主体，他们的加盟不仅提供资金，更增加基金的公信力与吸引力。这类投资者的募集需要国家的软性支持，争取达到基金规模的15%以上。（3）社会普通投资者出资。可以参照目前私募股权资本的管理，只向认定的合格投资者募集。这部分出资可达到基金的15%以上。以上三类均需承担投资风险。（4）基金公司发行的面向中小投资者的企业债及面向银行间市场的特别债券。这两者可不承担风险，其投资本金与约定收益的保障首先来自基金收益分配的优先权安

---

① 关于大型国有企业国有资产如何转换为可以用来持续投资并造福全民的社会化资本，笔者在《看不见的所有者：现代企业的产权革命》（格致出版社、上海人民出版社2012年版）第五章中有大致的设想和估算。

排，并补之以商业保险、国家底线担保等组合方式。此类债权性资金规模可达基金总规模的50%以上。这样，上述各种资金形成多层次资金结构，如图5.3所示，不同资金承担的风险不尽相同，较为符合市场运行实际。

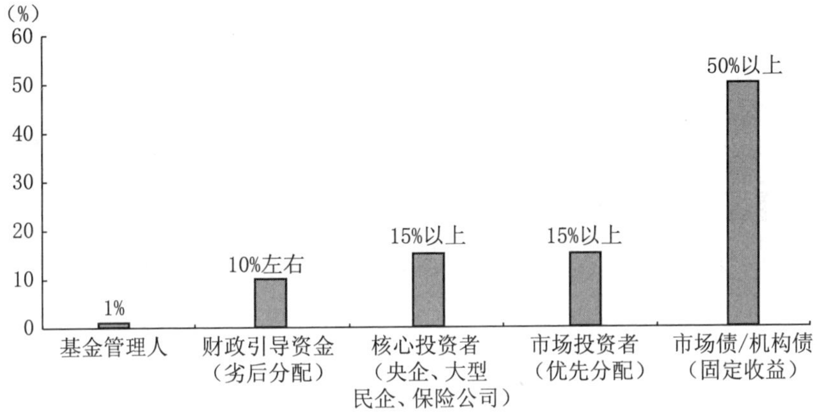

图5.3 国家发展战略基金多层次资金结构图

注：上图标识的百分比例只是大略说明，并非准确数值，其加总不等于100%。

(三) 基金管理团队与激励机制

运行长周期的战略基金必然需要特殊的管理团队，其应包括：一是通晓国情、具有深厚政府和产业管理经验的干才，如部、委、办、局级政府官员及央企高管，包括退休但仍适宜工作者；二是股权投资、管理咨询、资本市场等方面的现代专业人才，主要可以从国内外专业机构中招募。同时，辅以合适有效的长期激励机制。这方面，投行业与股权投资业已有成例，但有物质激励过当之弊，应深加研究鉴别，适当改造之后加以实施，以保障管理团队的人才吸纳与运行活力。

（四）基金的投资决策与项目咨询制度

国家发展战略基金的投资方向由前期设定，但具体项目与投资方案由基金管理团队相机决策。投资行业的投资委员会制度可资借鉴。因涉及项目多是长周期、跨地域的大型工程，其技术、环境、能源、社会等方面的复杂性空前，因此需要高质量的综合决策咨询制度。可借鉴证监会的“发行审核委员会”制度，由国家统一汇总建立合格咨询员数据库，用某种公平方式组建不同的项目咨询委员会，对不同基金的一定时期承担授权咨询。同时，基金运行的外部审计也必不可少，可并用国家审计与社会第三方审计。

（五）基金的投资回报预期

国家发展战略基金体系内作为超常购买力出现的投资，只要运作得当，它也会成为回报良好的长期投资。如：

造地——塔克拉玛干沙漠改造，即使只计 10 万平方公里核心地带，改造成功将形成 1 亿亩优质粮棉果蔬生产基地以及数十个中等城镇。加上全国各地的小流域治理、江河整治、农田改造等，都可以结合造地，只要适当投资，新增可用地数量可观。将上述土地置换部分（比如 1 亿亩）用于未来 30 年城镇化建设，则这部分城镇土地“农转城”的原始增值，即使按照每亩 100 万元计，也会高达 100 万亿元。

调水与节水——上述西部调水的成果可以达到每年上千亿立方

米；现代农业灌溉节水技术工程的全面推广，又能带来巨大的节水效益。按每年合计1 000亿立方米，即使按每立方米水2元的低价计，则每年收入也达2 000亿元。而南水北调对整个华北地区农业、工业生产及人民生活的改善所带来的经济效益更是不可估量。

社会保障房——按照全社会届时15亿人需要5亿套住宅总量，其中30%是社会保障房，则保障房至少需要1.5亿套。假设其中1亿套改由基金投资，按20年建设计，由基金持有，然后向合格者出租。按低于市场化租金计，起初租金低、收益小，但随着城镇化与中产阶层化的推进，租金必然稳步提高，加上基金可统一规划小区商业服务型物业，如果规划得当，以30年以上时期看，社会保障房不但可以提供和谐社会建设的一项基础物质保障，而且其本身最终也会成为一项优质资产。

技能—专业型劳动力——按前述匡算每年1 000万人、连续20年计算，为国家形成2亿人规模的技能型、专业型劳动力队伍，不仅创造出新的人口红利，仅仅就个人收入和个人所得税的增加而言，那也是天文数字。

可见，由国家发展战略基金对国家发展的战略性基础能力进行投资开发，在投资效益上是可行的。只要基金管理运行达到中等水平（而不是优良），则跨越30年的百万亿级基金投资，将开辟出一个史无前例的长期稳健的投资机会。这不但会助推中国经济增长持续保持全球龙头地位，而且将从根本上重塑祖国万里河山，成就中华千年伟业！

第六章 Chapter six 新增长阶段的制度安排

面对中国经济新增长阶段的宏伟远景，我们需要怎样的制度安排？ 中国现行经济体制又需要如何改革？

在讨论中国未来几十年的经济体制及其相应的上层建筑时，绝不可按现代教条主义，将西方所谓的“普世价值”作为未来改革的指引。按照政治经济学理论，生产力决定生产关系；按照现代管理学理论，战略决定体制结构。所以，正确的态度只能是实事求是，从中国生产力发展的实际和国家发展战略的内在需求出发。

目前的分歧在于：中国现行的经济体制，是已经阻碍了新时期生产力发展，还是基本适应了生产力继续发展的需要？ 进一步说，中国特色社会主义市场经济体制仅仅是一个“转型期”的过渡性安排，还是一个适合中国国情、具有持续发展能力的市场经济新类型？ 欲回答上述问题，首先，必须说明中国当下经济制度的内涵和运行机制，理解它的内在张力和演进的趋势；其次，必须解放思想，打破由新古典经济学所制造的资本主义市场经济的神话，用实际存在的、而不是教科书上的西方市场经济，与中国现行经济制度进行实事求是的比较和评价。

一、中国三维市场体制的四大支柱

与西方常规市场经济制度相比，中国现行经济制度(三维市场体制)的特征主要是：(1)地方政府作为经济主体参与市场竞争，形成三大市场主体；(2)国有企业的资产资本化，形成国有经济的战略制高点地位；(3)包含中央与地方政府的分级资产负债管理体系，形成超越西方公共财政的复合型国家理财体系；(4)通过国家顶层发展战略、中期发展规划与产业政策和短期宏观调控相结合，形成分层整合的国家发展管理体系，从而超越西方常规市场经济中的被动式宏观干预。

上述四大特征性制度安排，是中国特色市场经济的四大支柱，下面我们作一简要的分析。

支柱之一，即地方政府作为市场主体。其要点是地方政府的双重身份。即财政收入分成、地方间的竞争及决策分权使地方政府的身份具有双重性：它既是全国政府科层体系中的一个层级，又是本地区经济剩余索取权的分享者，负责规划和推动地区生产力的最大发展。由此，它是市场经济的内在参与者。

支柱之二，即国有资产资本化形成的新国有经济。国有企业竞争力历来是世界各国的难解之题，但中国政府的两项决策使局面大为改观：一是抓大放小，即仅保留几百家特大型、关键企业为国有；二是资产资本化，即通过重组、上市等公司化、股份化的途径，将过去行政干预的企业管理问题逐步转为由控股股东主持的公司治理问题。结果，国有资产经营者既是“党管干部”原则下的官员，又是从事资产重组、股权投资、企业并购等现代资本运作的金融家。

从 20 世纪 90 年代中期开始国有企业战略性重组以来，国有中小企业已基本全面完成转制，目前主要在中央与省两级保留了一定数量的大型骨干企业。剩下不到 120 家中央国企大多是家喻户晓的产业龙头，它们多数完成了国内外证券市场的公开上市。[①]省、市、县在地方国企基本实现转制之后，亦保留了少数国有企业，尤其在上海、北京、天津等发达地区的比重还不小。但就全国而言，地方国企总数在整体经济中比重有限。近年来，各地通过引导性投资又陆续控股、参股了一些企业，其中地方金融机构、城市建设投资集团、高新科技企业均是投资的热点。虽然这些企业被称为“新国企”，但除城市建设投资集团外，地方政府多数既不控股、也不主持企业经营管理，而以拉动辖区经济总体发展为目的，作为股权投资者进入企业。这样，政府从国有企业管理者转变为国有资本管理者。

支柱之三，即超越公共财政的国家理财体系。中国目前的主流观点是从过去的生产型财政向现代公共财政转变，即建立以提供公共服务为目标的收入—支出管理体系。所谓公共财政，在西方有两方面的含义：一是就内容而言，指公共支出和相应收入的管理。而国家作为市场经济的“守夜人”和宏观管理者，提供国防、基础教育、医疗保健等公共服务，为此需要与之匹配的税收来保障收入。对这种围绕公共支出进行的税收及预算管理，是

① 根据国务院国有资产监督管理委员会网站公布的数据，http://www.sasac.gov.cn/n1180/index.html。

西方公共财政体系的实际内容。①二是就形式而言，指收入和支出必须纳入议会民主的审议、决策过程。政府的财政预算提案必须经由议会代表共同参与的讨价还价过程方可得到确认，这被称为“预算民主”。综合起来，一方面是提供公共服务的公共支出，另一方面是通过税收及借债等方式筹措的财政收入，两者组成财政预算，通过议会的审批流程最终确定与执行，这就构成了现代西方的公共财政体系。

显然，中国的财政系统与西方现代公共财政相比，既有共同之处，又有重大区别。中国财政体系中的一般预算，至多加上预算外收入，大致相当于西方公共财政里的主体内容。对这一部分，中国需要学习与借鉴西方的经验，提升预算管理的科学水平，加强预算的民主监督。但是，中国的财政体系有其特殊性，与西方公共财政相比，存在着更深刻的内涵，即国家的资产与负债管理。作为发展中的大国，中国政府不能不在一定程度上参与、引导经济发展中的投资和建设。从现实来看，国有企业的存在和运行是中国财政问题中无法回避的重大事项；竞争性地方政府作为经济主体参与市场经济，创造并经营着规模庞大的生产性公有资产，成为推动中国经济超常增长的内在机制。向前展望，中国在未来城镇化进程中，必将会有数千万亩土地从农村用地转为城市工业和商住用地，这一过程蕴含着天量的“土地价值的原始增值”。不论在当前的土地财政状况下，还是通过规范

① 西方政府税收收入小于公共开支是一个常态，所以往往造成巨大的财政赤字，这是预算民主发生危机的标志。不过这一现象并不改变公共财政的定位，它仍是以保证公共支出为目标的收支管理体系，且不包含生产建设性的支出管理。

化改革，合理分配中央、地方、农民以及开发商之间的利益，进而建设成某种规范的国家—地区发展基金，都必然引起巨额生产性资产和现金流管理问题。上述国有企业经营分红和处置“土地原始增值”产生的基金型资产表明，中国的财政体系额外产生一项基于资产和负债管理的财政问题。由于资产与负债及其派生资金流的巨大规模，使得政府财政总体规模与简单收入支出的规模差异过大，不能再用收支损益表代替现金流量表。因此，中国国家理财的管理必须是同时包括收支损益核算、资产负债平衡与现金流量保障的复合体系。这个复合体系中，国民收入的生产与再分配及财富的创造与占有统一在一个运行过程中，因此专业管理的复杂性较高，但社会公开冲突较小。显然，这种复合型财政体系与西方的公共财政相比，其体制与运行机制必然更为复杂，对国民经济的影响必然更为重大。为了区别起见，我们将这种涵盖资产—负债管理和收入—支出管理的复合型财政体系，称为国家理财体系。

国家理财体系在中国已经运行多年，同时仍在实践中不断演化、创新。在这方面，第一线的实践已经走在理论的前面。目前，许多学者及政策实施者仍沿用西方式公共财政的单向度视角度量与评判中国问题，这无疑犯了削足适履的毛病。大谈地方融资平台时只讲负债不讲资产，即是一例。目前，亟待从实际出发，研究变动中的现实，提炼理论与政策，引导中国国家理财体系的健康发展。

支柱之四，即超越短期宏观调控的国家发展管理。西方发达国家，尤其是英、美两国在很长时间内均奉行自由放任的经济政策。国家作为私有财产与市场经济的“守夜人”，仅仅在国家安全、公共秩序、产权保护、低水平的公共服务等方面履行职能，并不干预市场经济的日常运行。20世纪30年代的“大萧条”暴露出日益复杂的世界经济与自由放任政策的不匹配。在“市场失灵”的刺激下，凯恩斯教授提出宏观经济学理论，论证了市场经济的自发运行可能导致非充分就业状态下的均衡，论证了国家宏观政策干预的必要性与合理性，对现代经济产生了极其深远的影响。第二次世界大战以后，各国政府逐步发展出对宏观经济的调控/干预职能。这种国家宏观经济职能，从本质上说是短时期的、反周期的宏观总需求管理。其主要工具是财政与货币政策，我们称之为间接管理。目前，中国也履行对经济的宏观调控职责，但是中国政府的国家经济职能又远远超越西方式的、反周期性的宏观经济调控。中国政府追求的是国家现代化、中华民族复兴与中国人民的长远福祉，总体上体现为综合性的国家长期发展管理问题。

就深度、广度与功效而言，国家长期发展管理与短期宏观经济干预之间存在着明显而巨大的系统性差别。首先是对国家长期发展愿景与战略目标，由中央作出顶层决策。以邓小平为核心的党的第二代中央领导集体依据对世界和平发展机会的判断和对中国发展过程中正反经验的总结，重提“四个现代化”愿景，并在分“两步走”、到20世纪末达到“翻两番”的小康目标的基础上，进一步提出经济社会发展“三步走”的长期战略，即第一步，到1990年实现国民生产总值比1980年翻一番，解决人民的温饱问题；第二步，到20世纪末，使国民生产总值再增长一倍，人民生活达到小康水平；第三步，到 21 世纪中叶，人均国民生产总值达到中等发达国家水平，人民生活比较富裕，基本实现现代化。为此目标，同时制定了对内改革、对外开放的战略性决策，并适时提出“四项基本原则”作为改革开放顺利进行的政治保障与前提，从而成功地把党和国家的工作中心转移到经济建设上来，开创了中国特色社会主义。以江泽民为核心的党的第三代中央领导集体在坚持“发展是硬道理”的同时，对“三步走”的战略目标进行深化，注重“小康社会建设”这一中间步骤，并把 21 世纪中叶的目标定位为全面现代化。为此，冷静面对当时国内外形势十分复杂严峻的考验，对内深化改革，全面推进社会主义市场经济体制建设，对外扩大开放，通过加入 WTO 全面参与国际经济体系，从而开创出改革与发展的新局面，成功把中国特色社会主义推向 21 世纪。以胡锦涛为总书记的党中央则根据新的情况，提出“科学发展观”，把发展与全面协调可持续结合起来，强调以人为本的公平正义，从而实现了中国经济与社会发展水平的跃迁，在新的历史起点上推进了中国特色社会主义。由此可以看出，在长达 30 多年的时段中，中国国家级的战略愿景与目标既保持了高度连贯性与稳定性，又顺应时势作出调整，做到与时俱进。

第二是中期发展规划与政策制定。改革开放后，中国将早期的指令性计划转型为以五年综合发展规划为主的中长期规划管理，辅之以专项产业—地区规划，同时制定相关的产业政策。指导性的五年发展规划的编制与过去的指令性计划相比，编制方式和质量在逐步改进。比如“十二五”规划提出在制造大国的基础上，建设市场大国，适时推进讲质量的城镇化等，就是抓住了未来可持续发展的关键。另外，中国的综合规划部门近年来也开始为不同的经济区域编制区域性和产业群体性的规划。虽然这类规划一般仅具有指导作用，但为某一地区或某一产业形成对未来的稳定预期提供了极有价值的参照。

第三是经常性经济运行的调度和宏观调控。政府通过财政支出、货币信贷、政策自主空间及行政干预等多种手段推动上述发展规划的执行落实。

最后是中国特有的动员体制。通过全国人民代表大会、全国党代表大会、中央工作会议、国务院专题会议等制度，在全国范围内互动式地形成和塑造社会预期，引领和影响市场微观主体的决策。

由此，中国形成国家级发展规划的制定、动员和执行体系，使当下的中国政府既脱离中央集权的计划经济，又显著超越西方市场经济中的国家职能。毋庸讳言，在市场经济的基本框架下，重建社会主义国家的经济职能是一项前所未有的挑战。中国在这方面虽然还处于探索阶段，但是经过不懈努力已经取得了伟大的成就。社会主义国家在市场经济中的职能及其优势必然大大超越西方常规市场经济国家。

上述对四大支柱的分析表明，中国当下的经济制度是市场经济。在这一体制中，由企业自行作出投资和经营的基本决策，价格信号基本在市场上形成，资源配置通过市场而实现。政府招商引资、制定产业政策、宏观调控等行为，对企业微观主体的经营决策起到影响和引导作用，但决策自主权仍属于企业。所以，市场与竞争已经成为中国当下经济制度中的基本力量。

但是，中国当下的市场经济又并非常规的西方市场经济。不要说与欧美发达国家的市场经济相比，即使与国家力量较为强大的日本相比，中国的市场经济体制仍有重大不同。在学术文献中，日本经常被称为“发展型国家”，其显著特征是在欧美国家普遍使用的宏观经济干预之外，还采取国家产业规划、产业政策、财政和金融补贴乃至行政协调等手段，来影响和推动本国的经济发展。发展型国家对经济发展的影响比英、美政府更为强大，但是并不具备中国经济制度上述四大特征。在国家长期管理层面，中国从顶层设计到政策制定是一个长期的、系统化的经济职能体系，是可持续的制度化的战略领导，大大超越发展型国家产业规划和产业政策的范畴。同时，发展型国家既没有中国的复合型国家理财体系，也没有中国规模巨大且正常运行的国有企业和国有资产体系。更为重要的是，中国作为大国所特有的竞争性地方政府体系及其与竞争性企业体系的并存、互动、交融，不但极其深刻地改变了市场经济的运行机制，也为上述国家级长期发展管理提供了中间层次的组织依托。因此，与发展型国家的上述差别，预示了两者大不相同的发展前景。以产业政策为核心的发展型国家，其政策通常只能在赶超阶段发挥作用，而工业化和城市化的使命一旦完成，发展型国家的政策也就难以为继。相比之下，中国现在形成的社会主义市场经济体制，则是把常规市场体系嵌入国家与社会大结构中的新的经济体制范式。因此，它可以超越工业化和城市化的历史阶段，在进入发达经济行列之后，仍会作为缓冲市场经济破坏力量、整合社会经济文化综合发展的更加健康合理的制度框架。

当然，中国当下的经济制度，即社会主义市场经济体制仍在演进中。事实上，它本来就是在改革实践推动下，不断调整、试错，经过持续累积性变迁所产生的制度结果。

二、中国三维市场体制的比较优势

当前，中国特色社会主义市场经济体制的基本框架(三维市场体制)已经形成；未来的改革不是要拆除这一基本框架，使其退回到西方常规市场经济的二维结构，而是根据实践需要，对三维市场体制框架进行必需的配套制度建设。这里，主要是指运行层次的组织、流程、预算、人事等功能性改革。简言之，中国经济体制改革已经走出了转换基本框架的“深水区”，亟待进入以“组织变革、流程再造”为主题的“专业功能区”。

支持上述基本判断的依据在于：从正面说，中国现行经济制度已经显示出蓬勃顽强的生命力，在一些人持续不断的批评指责声中创造了中国30多年的发展奇迹。这表明，现行三维市场体制与西方常规市场体制相比，确实具有优越性。从反面说，现行三维市场体制也还存在着诸多严重问题，但是，转向英美式的常规市场经济也解决不了这些问题。可能的解决之道还是通过自主、持续的制度创新，对三维市场体制框架进行累积性的组织变革与流程再造。

我们首先对问题的正面，即中国现行经济制度的比较优势进行说明。当然，这一比较优势是与欧美国家实际存在的市场经济进行比较而言，而非与西方教科书中“幻化”的市场乌托邦相比。

（一）作为市场主体的地方政府

对西方国家的地方政府，国内研究不多，但大体都认为其主要职能为收税和办理有限的公共事务。在推动经济发展上，既无强烈意愿，也无资源条件，做不了什么事。①而在中国，尤其是市、县两级政府，长期在经济发展的第一线竞争拼搏，已经成为与企业界共生互动的有生力量，成为中国经济社会发展的发动机之一。②而且在市场竞争的长期锻炼中，市、县政府官员的人格特征与综合素质已经悄然发生着深刻转变：去官僚化，趋向企业家化，可以说是渐成趋势。这些人中积淀了大批激情与理性并存、理论与实干俱佳的干才，涌现出越来越多的务实创新、敢为天下先的性格化人物。这一切，使得中国众多地方政府成为世界上最有活力、最具能力的创业有为型政府。

（二）国有企业与国有经济

西方经济学一贯从国有企业的产权角度认为大型国有企业存在所有者缺位和垄断经营两大问题，导致效率损失，影响经济可持续发展。确实，中国国企在经营管理方面存在着种种问题，不容忽视。但现在的国有企业基本都处于高资本密集度的行业，其效率问题不应与中小型的民营企业比照，而应与西方发达

① 关于美国地方政府的基本职能和运作，参见[美]文森特·奥斯特罗姆等：《美国地方政府》，井敏等译，北京大学出版社2004年版。

② 关于中国政府的层级特点，张五常教授（2009）提出一个七层分级的全国合约体系。其中，笔者理解，张五常教授所言的“县”同样适用于地级市或地区。

国家同类行业中的现代大型公司对比。通过合理的比较，不难发现，当代西方发达国家的大型企业同样广泛存在着所有者缺位和垄断经营问题。

20 世纪 30 年代，伯利教授和米恩斯教授揭示了现代企业的所有权和经营权的两权分离。[①]实际上，从美国财富 500 强主体企业数据资料可以看出，西方当代大型企业已经不仅仅是企业所有权和企业经营权的两权分离，而是资本所有权、资本经营权即企业所有权与企业经营权的三权分离。[②]其中，最晚近的变化是资本所有权和资本经营权的分离。现在西方主流大型企业中的股东，即所有权的代表人，基本上是共同基金、养老保险基金、企业年金、社会公益基金等基金管理机构。这些机构所使用的资本并非自有资本，而是来自千千万万的私人投资者、公益财富的持有人，这些出资人才是真正的终极所有者，机构仅仅作为终极所有者的替身担任企业的股东及董事，在企业内部执行管理职能。在大型企业中，众多的终极所有者之所以愿意把财产委托给他人来代行所有者职能，是因为：(1)多数终极所有者是中小投资者，用于投资的是劳动收入中的余量，投资并非主业，必须依靠专业机构代劳；(2)企业股权投资日益复杂，需要投入大量人力、市场等专业资源；(3)创建企业的老一代资本家过世后，家族中的继承者虽然拥有企业的大宗股权，却因为缺少企业经营的实际能力，仍然会按照风险控制和资产分配的现代投资理念将

① [美]阿道夫·A.伯利、加德纳·C.米恩斯：《现代公司与私有财产》，甘华鸣等译，商务印书馆 2005 年版。

② 史正富、刘昶：《看不见的所有者：现代企业的产权革命》，格致出版社、上海人民出版社 2012 年版。

资产重新配置，使得家族从控股股东变成资产配置者。因此，股权的分散，股东的多元化、替身化，即所有者缺位，是现代大型企业发展的自然归宿。实际上，上述现象在西方发达国家早已发生，并存续数十年。

由于忽视或不了解上述发展变化，国内一些学者在评价中国国有企业时往往想当然地将国有产权等同于效率低下。其实，对中国石油、中国移动、中国银行这类巨型企业而言，在产权制度上的对标企业只能是埃克森—美孚、通用电气、联合利华、花旗银行等公司。而这些企业产权制度的共同特点就是真实所有者的缺位。它们的股东数以万计，最大股东的持股不超过5%；持股量最大的前十名股东基本都是各类机构投资者，包括私人出资集合起来的投资基金、国家法规授权创立的退休养老基金、社会捐助形成的社会性公益与慈善基金等。这些投资机构的经营者都不是真正的资本所有者，而是由真正资本所有者聘任的职业资本管理人（笔者称之为“替身所有者”）。①相比之下，中国的央企在上市之后，虽然使得股东多元化，但仍存在控股股东，即国务院国资委。同理，省级国企上市后的控股股东是省级国资委。因此，中国央企与美国500强的共同点都是所有者缺位，区别只在于替身所有者的不同：在美国是各类投资机构，而在中国

① 由于美国公司的股东大多已是各类机构投资者，许多学者便探讨美国资本主义当代形态的理论表述。迈克尔·尤辛教授（Michael Useem，1996）把它称为“投资商资本主义”，强调美国大公司的直接投资者已是机构投资者；彼得·F.德鲁克教授（Peter F. Drucker，1976）强调在这些投资机构中养老基金的主旨性，并称之为“养老金社会主义”。而晚近的学者（J. P. Hawley and A. T. William，1996，2000）从机构投资者与最终出资人的信托关系出发，又称之为“信托资本主义”。

则是国务院国资委。进一步说，在这些大型企业的公司治理结构中，中国央企由国资委作为控股股东起作用，而西方大型上市公司中则往往没有控股股东。因此评价或者评估国有企业的比较效率关键在于：依靠国资委作为股东和依靠资本市场的约束，两者谁更有效？对此，目前并无实证研究，也缺少实事求是的理论研究，这仍是一个有待进一步总结经验并探讨的问题。所以，简单地将问题归结为所有者缺位无助于问题的解决。中国的国企改革仍然有待深化，但民营化则文不对题。为此，我们提出"三化"改革战略：国有资本的权益资本化、持股主体的社会(机构)化、收益方式的年金化，从而把国有资本做实做真。①

同样，垄断经营问题在现代西方大型企业中也广泛存在。国内舆论经常批评国有企业靠垄断获得利润，从结果而言，批评有一定道理。但问题是，能不能将央企所在的行业变成自由竞争型行业呢？事实上，现在央企所在的许多行业，在国际上也是垄断型，或者准确地说是寡头竞争型的行业。比如石油行业，中国有三大石油公司及为数不多的地方性石油经营企业。从全球范围看，经过多年的产业整合，美、欧总共剩下不过埃克森—美孚、英国石油(BP)、壳牌、雪佛龙等寥寥可数的几家；俄罗斯经历叶利钦改革之后，私人寡头获得石油公司控制权，形成尤科斯等几大石油公司，经过普京的整顿，基本上又形成俄罗斯国家

① 参见史正富、刘昶:《看不见的所有者:现代企业的产权革命》,格致出版社、上海人民出版社 2012 年版。其他相近研究,参见陈清泰:《国资委下一步》,《财经》2003 年第 6 期。

石油天然气公司一家独大的局面。类似的情况同样在电信、铁路、矿产、航空行业存在。在这类产业中，中国除了企业的控股股东不同，产业的竞争格局或垄断程度与西方发达国家并无实质性区别。为什么在这些产业会形成寡头竞争，而不是大众所期望的那种自由竞争呢？标准的经济学理论中提及了多种原因，如规模经济、交易费用、范围经济、沉没成本、自然垄断等。①总之，在具有上述特征的产业中，众多企业参与的古典式自由竞争基本上已被寡头竞争所取代，不论是国企还是私企，一定程度上的垄断利润必然存在。问题在于：这种较高的利润是由私人企业获取，还是由国有资本获取？答案不言自明。

由此看来，所有者缺位和垄断经营这些被普遍谈论的现象，并不是国企效率低下的证据，仅仅是产业性质决定、在世界各国普遍存在的现象。因此，没有任何先验的理由认定，在经济运行效率和长期发展能力上，国有企业必然低于非国有企业。事实上，近年来中国的国有企业取得巨大利润的原因，一是受惠于总体经济发展；二是归功于国企战略调整后聚焦于现代主导产业部门，并且实现了企业所有权与经营权的分离；三是反映了现代核心产业中平均利润高于完全竞争产业的市场规律。因此，它是可持续的。国有企业的存在为中国提供了国民收入初次分配

---

① 关于规模经济与范围经济，参见 Alfred D. Chandler, *Scale and Scope*: *The Dynamics of Industrial Capitalism*, Cambridge: Belknap Press, 1990；关于交易费用，参见[美]奥利弗·E.威廉姆森：《资本主义经济制度——论企业签约与市场签约》，段毅才、王伟译，商务印书馆2009年版；关于沉淀成本等，参见 William J. Baumol, John C. Panzar, Robert D. Willig, *Contestable Markets and the Theory of Industry Structure*, New York: Harcourt Brace Jovanovich, 1982。

中进行资本收益权调节的依据，从而为减轻二次分配中财政调节的压力与负担、有效平衡市场经济自然的收入不平等趋势，提供了重要物质基础。虽然目前国有企业利润使用上还存在着种种弊病，现行利润分配和使用制度尚未将上述潜力充分发挥出来，但是，通过健全国企利润分配与资本预算制度，国有企业仍应是社会主义市场经济的长期支柱。

(三) 国家理财体系

与西方公共财政相比，中国已形成资产性财政和收支性财政的复合财政体系，即国家理财体系。可以说，中国能形成国家理财体系，是历史的幸运。西方发达国家在早期发展中，通常是先发生土地私有化，然后才发生工业化与城市化。而土地私有化与工业化、城市化的时间顺序决定土地原始增值的收益权归属，决定社会长期的财富结构。美国《宅地法》基本上是把土地免费赠给私人，以激励私人开发土地、启动经济发展。英国工业革命之前发生的“圈地运动”，其实质正是通过完成土地私有，再从私有土地升值中积累工业化资金。①这样，先私有了的土地在工业化过程中实现“原始增值”，形成工业资本的私人所有，工业化的成功则形成生产资料与财富的私人占有。国家财政于是成为以税收维持的依附性职能，只能办些资本所有者认可的“公共支出”，由此产生西方式公共财政。而在中国，经过农村集体化与城市工商业生产资料所有制改造，不但在工业化启动

① 参见黄少安、谢冬水：《“圈地运动”的历史进步性及其经济学解释》，《当代财经》2010年第12期。

之初就形成了一定规模的公有资产，同时还实现了土地公有。直到改革开放以后，工业化、城市化和市场导向的改革取得了相当程度的推进之后，才逐渐放开土地使用权市场。在历史事件的时间序列上，中国可以说是先行工业化、城市化、中产阶层化，然后才是土地使用权市场化。于是产生了两大效应：一是当土地性质从农业用地转化为城市商住、工业用地时，产生的土地原始增值已经反映了工业化与城市化的成效，在数量上空前庞大；二是土地原始增值主要归国家所有，其中大部分留给了地方政府，成为地方财政运行的重要依托，推动了多年来中国各地城市化与工业化飞速前进。①值得指出的是，虽然土地原始增值的大头留给地方政府，但是它提供了必要条件，使得20世纪90年代中期的财政分税制改革得以进行，常规财政收入更多地集中到中央，为此后中央财政收入的持续稳定增长奠定了基础。所以，地方上“土地财政”的存在是中央集中较多财力的前提条件。要改革或削减土地财政，必须考虑到相应调整常规财力在中央与地方的配置。从根本上说，只要承认地方政府谋划与组织地方发展的职能，就必须使其具有可持续的财源。此外，还应该指出，土地原始增值还使得城市中小国有企业的改制得以顺利实现。90年代中期推行国有企业战略重组时，中小型

① 学界对这方面已有很多研究，虽然多数人对土地财政的负面影响多有批评，但也都承认土地财政在推动地方经济发展上的重要作用。关于土地财政的一般状况，可以参见国务院发展研究中心“中国土地政策改革课题组”历时两年半对全国9省市做的实证调查报告。《财经》杂志2006年第4期以“土地现状解密：土地财政与地方政府”为题发表特稿介绍他们的研究成果。关于土地财政的数据分析可以参见杜雪君、黄忠华、吴次芳：《中国土地财政与经济增长——基于省际面板数据的分析》，《财贸经济》2009年第1期。

国有企业普遍亏损，负债奇高，又背负沉重的养老任务，要解决改制与历史包袱问题困难重重。但是，此后城市化的发展推动了土地原始增值凸显，使得地方政府进行国企改制时有了财务上的抓手。通过土地置换，即将市区国有企业迁至郊外的经济开发区，腾出市区土地进行商住开发，再用其土地增值来处理原企业资不抵债、员工下岗安置等问题。这是一套基于土地增值的国有企业改革重组方案。①实践证明，它其实成为各地国有企业改制的最重要驱动因素，其中还使部分基础较好的地方国有企业获得再造，成为行业的核心企业。

简言之，土地财政的核心是土地原始增值的收益权，实现机制是地方政府的“城市经营”，经济基础则是国民经济整体的持续成长和发展，而长期效果是在国民经济增长过程中实现国家资产与财富的同步积累与成长。

也就是说，中国市场经济体制改革的结果，不是国家资本与财富的瓦解，而是其成长与壮大。展望未来，在中国经济崛起的长期历史过程中，很可能会避免西方资本主义那种私人资本独大的财产垄断，而形成国家、社会与私人三种资本/财富共存互补的格局。而这一点，也是中国国家政权能够保持自主独立、真正代表全国最大多数民众利益的经济基础。

综上所述，与西方公共财政相比，中国国家理财体系有两大明显的比较优势：一是社会财富结构中国家、社会、私人之间相对平衡，而不是像西方那样由私人寡头控制。这就从根本上

① 这方面的学术研究不多，湖南长沙的个案是为数不多的研究之一。参见罗放良：《跨越：长沙国企改革“两个置换”纪实》，中国经济出版社2008年版。

保障了国家决策能够相对自主，既不受资本寡头控制，也不被众多细碎的利益集团绑架。二是就可以运用的政策工具而言，中国政府可以通过包括国有资本运作在内的资产负债管理，从国家理财中获得资产性收入，从而既有助于降低税收压力，又可为政府对冲市场失灵提供资源和手段。在国家理财体系下，解决民生问题与调节分配不平等的手段比西方国家多，力度更强。相比之下，西方国家只靠税收一条腿，调控余地小，规模上也支撑不了庞大的社会保险和福利；而且这种财政体制受社会利益集团的左右，只能解决眼前的经济社会问题而难有长期战略。尤其是在大众选举和大众传媒结合下，政治家必须面对由此产生的经济民粹主义引起的福利化压力，这使得政府不仅难有作为，而且难以抵制寅吃卯粮的社会冲动，财政赤字根本无法解决，只能日积月累，最终以危机收场，这是目前多个西方发达国家走向国家破产的原因。①

（四）国家长期发展管理

理论上，西方国家的总体经济职能主要是对宏观需求的反周期干预，手段则是财政与货币政策。但事实上，现代世界是一

---

① 关于议会民主、福利与财政赤字的关系，芝加哥学派的自由主义经济学也确认不疑，只是解决办法是要求大幅削减社会福利开支。马克思主义政治经济学则指出福利开支是解决垄断资本主义时代有效需求不足的必然要求。关于前者，参见［美］米尔顿・弗里德曼等：《自由选择》，张琦译，机械工业出版社 2008 年版。关于后者，参见［美］保罗・巴兰、保罗・斯威齐：《垄断资本》，南开大学政治经济学系译，商务印书馆 1977 年版；O'Connor, *Fiscal Crisis of the State*, New York: St. Martin's Press, 1973。关于目前热议的国家破产，参见［法］雅克・阿塔利：《国家的破产》，吴方宇译，北京联合出版公司 2011 年版。

个由国家间竞争与合作关系形成的世界体系，[①]由于历史原因，形成“中心”与“边陲”、宗主与依附等多重的等级—结构关系。所谓“世界是平的”[②]之说，可能出于浪漫天真，可能出于美好愿景，也可能是别有用心。在国家间竞争生存的世界体系中，国家级发展战略必不可少，就像企业竞争的产业体系中企业级的发展战略必不可少一样。

在这方面，西方大国其实也有其超越宏观干预之外的整体战略谋划，[③]只不过受其体制与资源分布之累，政府行动空间有限而已。而中国现行的三维市场体制既释放与壮大了市场原创活力，又保持与更新了政府引领与管理经济的能力；既打造了创业有为的分权型地方政府体系，又强化了整个国家的一体化整合和中央政府对国家长期发展的战略管控。这一基本制度必将成为未来中国崛起、实现中华民族伟大复兴的可靠保障。

三、中国三维市场体制需要解决的主要问题

综上所述，中国的三维市场体制与西方常规市场经济相比，

---

① Immanuel Wallerstein, *The Modern World System*, 3 volumes, NY: Academic Press, 1974, 1980, 1989.

② 参见[美]托马斯·弗里德曼:《世界是平的:21世纪简史》,何帆等译,湖南科学技术出版社2006年版。

③ 关于西方大国的国家竞争战略问题,经济学界受新古典经济学影响太深,较少有认真的关注和讨论。历史表明,英、美两国获得世界霸权,都离不开国家战略行为。关于这方面,保罗·肯尼迪教授所著的《大国的兴衰:1500—2000年的经济变迁与军事冲突》(国际文化出版公司2006年版)中有很多讨论;中国学者方面,北京大学韩毓海教授的《五百年来谁著史:1500年以来的中国与世界》(九州出版社2009年版)一书论述深刻,尤其值得关注。

确实具有诸多优势。当然，三维市场体制作为正在演进中的自主制度创新，也存在着诸多弊病。但是，转向西方常规市场经济解决不了中国经济体制的这些弊端。类似弊端在西方大国中也同样以多种形式存在，在与中国有可比性的国家（如印度、俄罗斯）中往往更为严重。这些问题只能通过在三维市场体制的基本框架下实行渐进式的试错和持续改进来加以解决。

以下就社会广泛关注的几个问题如收入分配、公共服务、官员腐败等作简要分析。

（一）收入分配不平等

通常用基尼系数来衡量收入分配的不平等状况，其值在0和1之间。越接近0就表明收入分配越趋向平等，反之越趋向不平等。[①]部分研究显示，改革开放以来中国基尼系数明显升高。国家统计局数据显示，中国基尼系数自2003年的0.479呈波动向上趋势，直至2008年的峰值0.491，然后逐年回落至2012年的0.474。[②]如何看待这一问题？目前，部分研究者和公共媒体把基尼系数扩大说成是中国的“比较劣势”，并认为中国收入分配状况严重不平等，远超过西方市场经济国家。不过，这种看法缺少理论与事实依据，并不恰当地估计了基尼系数的作用。

第一，市场经济的自然趋势是收入分配差距的存在；而按照现有经济理论，国家工业化时期，由于农村剩余劳动力的存在，

---

① 蔡昉：《如何认识中国收入分配现实：一个求同存异的分析框架》，《比较》2012年第2期。

② 《统计局首次发布十年基尼系数　略高于世行计算的数据》，《人民日报》2013年1月19日。

劳动收入差额自然扩大，但随着经济发展和剩余劳动力的减少，劳动工资收入普遍增长，就会缩小收入分配差距。这种在国家工业化阶段收入分配不平等的程度先上升后下降的现象，被经济学界命名为库兹涅茨“倒U曲线”。[①]这一现象在中国已经发生，过去10年中，包括农民工在内的非熟练劳动者的工资持续较快增长，基尼系数在2008年达到顶峰后，转而下降，显示出持续经济增长对劳动性收入分配的改善作用。[②]因此，不能把处于工业化推进阶段的中国与欧美发达国家作简单比较；如果与处于类似发展水平的印度、巴西、俄罗斯等进行比较，则中国的收入分配情况好于这些国家。这说明，中国特色市场经济中收入分配的不平等程度虽然高于早期计划经济时期，但其本身也具有某种自动调整的能力，即在经济正常发展的情况下，将会逐步改善收入分配的格局，进而形成以中产阶层为主的“橄榄形社会”。

第二，中国收入分配变化除了反映库兹涅茨“倒U曲线”的一般趋势，还反映出相当长时期以来，最低收入群体，如农民、建筑工人、保姆、劳动服务业员工等，收入增长显著快于GDP的增长。也就是说，在基尼系数上升或微降的最近十几年中，最低收入群体的经济状况持续改善；它不但是绝对改善，而且与全国平均数相比也是改善的。

---

① 对这一问题的经典表述是库兹涅茨“倒U曲线”，具体参见Simon Kuznets, “Economic Growth Income Inequality”, *American Economic Review*, vol.5, 1955, pp.1—28。

② 经济合作与发展组织、世界银行的经济学家对此均有研究报告、综述与分析。参见蔡昉：《如何认识中国收入分配现实：一个求同存异的分析框架》，《比较》2012年第2期。

第三，中国幅员广大，地区与城乡之间还存在着诸多分割，发展很不平衡。因此，全国性的基尼系数并不能完全反映不同地区的收入分配状况。例如，如果将江苏与甘肃合在一起计算基尼系数，则其数值或收入分配不平等程度必然明显高于将两省分开计算各自基尼系数得到的结果。也就是说，尽管地区间收入不平等确实存在，但地区范围内的收入不平等状况并没有全国性基尼系数值所反映的那么严重。并且对于各地城乡居民而言，本地收入分配状况相比全国性收入分配状况对其实际生活更具影响。

关于收入分配不平等方面，值得注意的是，西方发达国家中以中产阶级为主的"橄榄形社会"正在瓦解，中产阶级向两极分化，少部分成为富人，更大部分滑入穷人行列，形成围绕富有与贫穷各自分布的情况，被称为"M型社会"。①这一现象在美国尤为明显。过去20多年，美国GDP显著增长，人均GDP从1980年的26 530.1美元增长到2010年的42 175.1美元。②但是，其间中产阶级家庭的真实收入则基本没有增长。与此同时，处于顶尖5%的家庭，其收入占比则从1968年的16.3%上升到2011年的22.3%；1968年基尼系数在0.39左右，2011年为0.48。③个中原因尚无太多学术研究，可能是源于美国在此期间的信息化、全球化、经济虚拟化三大力量结合所

① 关于M型社会的论述，参见[日]大前研一等：《M型社会：中产阶级消失的危机与商机》，刘锦秀等译，中信出版社2010年版。

② 国际货币基金组织，以2005年为基年的美元。

③ U.S. Census Bureau, Table A-2, "Income, Property and Health Insurance Coverage in the United States", 2011.

产生的结果。最近20多年中，在以信息技术为主的产业革命浪潮侵袭下，产业结构中虚拟经济与文化娱乐传媒等第三产业发展迅猛，实体经济尤其是制造业相对衰退。同时，现代信息技术又与现代交通结合，为公司扁平化、规模化、全球化提供技术保障，大公司内部的管理层级缩减，使得控制关键资源的人群能支配的资源和财富的规模急剧放大。前者使产业界提供的中等收入就业岗位减少，后者使控制关键资源的精英群体积累财富的能力空前提升。掌握关键资源的人群收入激增，使美国中产阶级只能向收入分配的两端移动。与100年前相比，富豪占社会的比重增加，而且从平民成为富豪的时间缩短。这是现代市场经济条件下由现代技术革命所引发的、不容忽视的趋势性现象。其中，虚拟经济越发达，娱乐经济越发达，创造中产阶级能力较强的技术密集型制造业越是显著萎缩，滑向M型社会的危险就越大。

上述在西方发达国家发生的有关收入分配的新情况说明，直接转变为西方常规市场经济并不能解决收入分配不平等问题。中国还须依靠社会主义市场经济体制下的四大支柱来解决这一问题。

可见，更大的问题是分配的公正性。中国改革开放以来，随着市场经济的发展，私人财富已经获得长足增长，千千万万的企业家通过创业经营成为巨额财富的拥有者。而其中相当部分的资本积累带有体制转型期的特征，在不同程度上与公共权力有关，在土地出让、国资改革、项目招标、矿产经营权、税费减免等方面不规范、不公平，甚至不合法地占有各种收入流，形成财富的不正常积累。这也是引发社会不满的严重问题，亟待在未来改革中下重手加以解决。其实，这一问题与官员腐败问题相关联，下文将作进一步讨论。

（二）官员腐败

腐败是当前中国社会最重大的问题之一。与10年前相比，中国政府官员的腐败程度是减轻还是加重，这方面暂无专业的调查研究。因此在这个问题上尤其需要以严肃、认真的态度，在大量观察与系统调查基础上进行理性分析。但是，就社会公共心理的承受度而言，预防与惩治腐败已迫在眉睫；就经济发展运行的需求而言，使官员腐败程度在可控范围内也是必不可少的条件。因此，廉政建设应作为关系国家长期发展大局的战略性问题，采取更为系统、强力有效的措施，以求获得显著突破。

根据相关研究，官员的腐败行为可以分为以下不同类型：

一是以公共收益权谋私，即通过对公共权力所包含的经济利益进行定向输送，分割占有，谋取私利。如在国家监管部门或有权力分配资源的部门中，当事人将这些资源的分配和他人输送的经济利益挂钩，于是直截了当的行贿受贿行为产生了，并非根据经济合理的原则分配政府的公共资源。常见的如财政拨款、土地出让、项目发包、科研资金、人事任命等。一些手中握有任命权、审批权、牌照发放权的单位和个人上下其手、谋取私利，造成了“国家权力部门化、部门权力私人化”。这类现象就是现代西方经济学文献中所说的“寻租”行为，在中国通常又称为钱权交易。[①]

钱权交易发展到极端形式，就是为了获得比普通情况下更高的利益或显著更低的成本，企业与相关政府部门合谋策划，串通设计资源分配或市场监管的相关方案。这种情况在现代西方经济学中则称为政府被私人利益“俘获”（capture）。钱权交易的发展，不但使公共利益受损，而且还会进一步诱导公共权力部门与官员故意设置某些门槛，使得企业被迫行贿，形成政府部门故意“设租牟利”的行为。对此类滋生腐败的领域及毒害社会风气的有害行为，应予坚决治理。

二是以“合法伤害权”谋私。[②]这是指具有审批权的部门和官员在处理社会和企业的申请和投诉时，不及时受理，或者受理之后不及时处理。这种拖延和不作为迫使受害人为了减少损失而向部门和官员输送利益。更加恶劣的形式就是用自身的执法权对个人或者企业形成具有重大负面影响的干预性行为，使个人与企业因此蒙受巨大损失。例如执法部门无缘由地找人谈话、责令企业提交各种报告和数据，营业时间频繁检查经营场所，甚至利用某些定义不明的权力骚扰恐吓当事人。当事人为了避免更多伤害，往往被迫向相关官员行贿示好。显然上述以权谋私

① 寻租（rent-seeking）是西方政治经济学学者创立的术语，用以描述市场经济中官商互利关系。参见 G. Tullock, “The Welfare Costs of Tariffs, Monopolies, and Theft”, *Western Economic Journal*, 1967 June, p. 224; Anne O. Krueger, “The Political Economy of the Rent-Seeking Society”, *American Economic Review*, June 1974, Vol. 64, pp. 291—303, reprinted in Buchanan, Tollison and Tullock, 1980：51—70。

② 合法伤害权是历史学者吴思所创立的术语，用以描述古代中国社会广泛存在的官吏滥用职权的现象，参见吴思：《潜规则：中国历史中的真实游戏》，复旦大学出版社2009年版；《隐蔽的秩序——拆解历史弈局》，海南出版社2004年版。

的种种行为，不论表现形式如何，其对于社会经济的发展没有任何贡献，是一种纯粹的攫取行为，应当坚决清理。

三是以权经商，官商通吃。这是指官员利用职权，帮助其家人或直系亲属开办私人企业，将政治权力转化为财产权与财产收入，从而将权力型腐败永续化。这种以权经商的腐败有多种表现形式，它可以是官员家人直接经办企业，也可以由官员的“铁杆”代为出面持有企业股权；它可能是真正的出资入股或者至少部分出资，也可能是“干股”；甚至名义上没有持股，但是按某种约定比例分享企业收益权。这种以权经商的范围极为广泛，包含各个层级。在各种腐败行为中，以权经商的方式危害最大，而且一旦形成规模，假以时日，逐渐固化，就可能从内核上颠覆中国经济体制改革的性质。因此，以权经商应是反腐败工程的重中之重，宜以果断措施，尽快从根本上加以铲除。

四是当前中国发展环境下产生的一类特殊腐败现象，即“灰色收入”问题。它与纯粹依靠特权谋取私利不同，指公职人员队伍中、主要是地方政府中履行经济发展职能的官员，在向辖区内企业提供各种管理服务的过程中所得到的由企业提供的经济好处。本书第二章在讨论地方政府如何降低企业交易费用时对此略有涉及。简单地说，市场经济必然存在管制，管制必然产生部门官僚主义。在克服部门官僚主义、提升效率时，地方政府履行经济职能的部门具有很大的积极作用。地方政府履行的经济职能涉及征地、招商、开发区建设规划、城建、金融等各种专业工作，工作范围远远超出传统意义上的政府公务员常规职能体系。这些工作使得这部分政府官员的工作时间、强度、所要求的专业水平，都显著不同于传统意义上的政府公务员。目前的现实情况是，在地方履行经济职能的公务员中，超负荷、超工时、高强度的工作是一个普遍现象。①从一定程度上说，这部分工作如果由企业承担或像西方国家那样通过律师、会计师、公关公司等中介机构办理，成本更高。因此，由政府经济管理部门中的公职人员向本地企业提供“总部服务”，对于克服广义交易费用的增大、提高运行效率有积极作用。从这一意义上说，在这个过程中，他们付出很多，对企业的贡献明显。目前，这部分人与普通公务员相比，履行着不同的职能，形成不同形式的业绩，但是并没有从国家统一薪资制度中得到与其贡献相配的额外经济报酬。有学者认为，企业提供的好处相当于对这类额外劳动的某种“补偿”。所以，这部分与商务性职能相关的灰色收入不合法不合规，但其与上述纯粹以权谋私行为存在一定差别。对于纯粹以权谋私行为及其权力性收入，应坚决根治铲除；对于由管理服务产生的灰色收入，除政法与纪律约束外，尚需制度改进，即通过政府组织人事与薪资制度的重塑，来有效避免灰色收入。

最后，还存在“准政府”机构利用垄断地位攫取不正当收入的情形。如在审批或审核企业的相关项目时，强迫企业的项目实施由这些部门的直属“三产”企业或关联企业承担，并且强制收取高价，但工程质量与进度常常低于市场标准。由此，既攫取不正当收益，又给企业造成工期延误和工程质量损失，此类行

① 参见许耀桐:《救救“白加黑”与“五加二”的官员》,《人民论坛》2009 年第 8 期。

为也亟待整治。

“冰冻三尺非一日之寒”，上述腐败现象的存在已非一日。因此，反腐倡廉已是极为重要、极为迫切的大事。问题在于，政府廉政建设从来都不是一个简单的挑战。在这个问题上，简单地模仿西方式宪政民主并不能推动这一问题的解决。一些所谓民主国家腐败现象的深度与广度远超中国。即使像美国这样的民主强国，也广泛存在着半合法的腐败现象。而廉政程度较高的新加坡，则是自主建设了系统性的反腐体制。

因此，中国在廉政建设上可行的战略选择，不应寄希望于某种一次性大规模反腐运动，也不是照搬西方发达国家体制，而是参考国际成功经验，结合中国国情，通过实事求是的持续自主创新，逐渐找到真正有效的中国特色廉政管理体系。

（三）其他问题

第一，环境保护及公共服务不足。这是过往经济发展中的现象，但同样是所有市场经济国家在国家工业化阶段的共同问题。以中国所处发展阶段而言，过去10年在科学发展观的指导下，对教育医疗、住房保障、社保福利等方面的投入已经有了大幅度增长，这方面的状况已有明显改善。[①]在环保方面，国家制定的标准逐步提高，执法越来越严；而且在对地方政府的政绩考核中，加强了对环保的重视程度，对地方政府环保投入起到积极推动作用。从目前情况看，各地对中央的考核指标均有明显反

① 王绍光：《大转型：1980年代以来中国的双向运动》，《中国社会科学》2008年第1期。

馈，说明在现行分权体制下，通过改进组织与流程来解决环保及公共服务还存在很大余地。

相反，在常规市场经济条件下，发展中国家在环保与公共服务方面存在着比中国更加难解的问题。像巴西这样人均 GDP 高于中国的国家，社会公共服务严重缺乏，城市中贫民窟现象积重难返。即使发达如美国，至今也没有完全解决问题：4 700 万人没有医保，公共教育系统质量低下，大量基础设施陈旧落后，各级政府财政债台高筑、难以为继。①显而易见，转向常规市场经济无助于解决中国公共服务供给的问题。

第二，资源浪费与粗放型发展。这是批评中国当前发展现状的常见说法，但并不准确。大量经济指标显示，中国 GDP 资源消耗程度被严重高估，而 GDP 增长所需要的投资即前述的资本产出比，并不高于世界相关国家。②虽然与改革以前比，资本产出比提高，但这并不等于经济低效。其实，在重工业化与城市化过程中，必然发生投资率与 GDP 中的投资品比例双重提高的现象，马克思称之为“资本有机构成提高”，新古典增长理论则称“资本密集型技术”。但这一阶段之后，由于第三产业加速发展，资本密集程度逐渐回落和降低。实际上，就广大制造业而言，由于多年来空前激烈的国内外市场竞争，中国技术创新与管理改进的努力一直处在紧张进行状态。积二三十年的努力，中国制造业不但已在规模上领先全球，而且在运营效率上也取得了

① 国务院新闻办公室:《2007 年美国的人权纪录》,新华社 2008 年 3 月 13 日。

② 关于中国 GDP 中资源消耗过高的说法很多,大多数都有误导性。参见邓英淘:《新能源革命与发展方式跃迁》,上海人民出版社 2013 年版,第 15—27 页。

长足进步，反映在指标上，就是要素生产率、劳动生产率、主要原材料单耗等大幅改善。①

与总量增长效率相关的是结构问题，即GDP中居民收入与消费占比这一结构问题。中国的消费占比以2007年前后为界，也有一个先降后升的变化，与上述资本产出比的动态变化恰好呼应，显示出背后的技术经济客观规律。中国现行统计中的住房、教育等消费支出严重缺失，造成对GDP中消费占比的系统性低估。况且，消费占比较低是相对于经济超常增长而言的，如果把每年的超额增长部分拿掉，即中国经济增长率从年均9.98%下降2个百分点左右，那么，到2012年的GDP规模将只是现在实际规模的一半左右(即25万亿元左右)，则消费占比即使提高到极限，例如80%，消费规模也还达不到现在的实际水平。就是说，在超常增长条件下，消费占比较低的同时，消费绝对规模较大；投资占比较大是因为超常增长之功，而非压制消费所致。高增长率、高投资率、低消费占比与高消费规模并存；在已达到的增长平台上，只要逐步提升消费占比，即可实现超常增长与消费快增的双赢。这正是中国特色市场经济的优势所在。

第三，技术创新。与发达国家相比，中国目前的技术与产业先进水平还存在不少差距。但中国的技术与产业创新是否活

① 关于中国经济运行效率，参见张军:《资本形成、投资效率与中国的经济增长——实证研究》，清华大学出版社2005年版；陈东琪:《经济增长与劳动生产率——探寻改革三十年经济高速增长的原因》，载吴敬琏等编:《中国经济50人看三十年——回顾与分析》，中国经济出版社2008年版；Pieter Botttlier, and Foster Gail, “Can China's Growth Trajectory Be Sustained?”, The Confernece Board Research Report, R131007RR, 2007。

跃，取得的进步是快是慢，则值得深入分析。技术创新与产业升级在任何国家都需要长期积累性努力。中国改革开放30多年，基本市场化近20年，其间，中国在产品与技术创新上也取得巨大飞跃。今天的产业中，有多少产品与技术是20年前根本没有的？出口国际市场的中国产品的技术与价值，过去20年又发生了多大的档次升级？20年前在全球产业金字塔中，中国产业主体基本上处于底部的劳动密集型板块，今天已经在资本密集型产业和技术密集型制造业取得了一定的竞争优势，在信息、生物、新材料、宇航等高新技术领域也获得长足发展，正在向全球产业金字塔的顶部三角进军。在未来持续推动创新的进程中，中国正积极进行战略谋划与打造国家创新环境。在这方面，转向常规市场经济可以说是文不对题。

综上所述，目前对中国经济社会发展中主要弊病的种种批评，有些确实客观存在，尤其是收入分配、官员腐败、环境污染这几大领域。但是，这些批评往往存在过分渲染、严重误导的问题。第一，不能历史地看问题，不但将不同发展阶段的国家简单对比，也将中国发展过程某一阶段的必然现象指责为制度问题(如消费占比/资本产出比的升高)。第二，不能全面地看问题，过于强调弊病，比如基尼系数高、收入分配不平等，而看不到与此相联的优势，如低收入群体的收入增长快于GDP的增长。第三，不能实事求是地看待西方发达国家，简单地用常规市场经济与中国现实版的市场经济比对。实际上，西方发达国家的市场经济也是弊病丛生，矛盾重重，尤其是在当前的“后危机时代”，面临国家发展模式转型与制度变革的双重挑战，西方国家一筹莫展、步履维艰。当今世界，从发达国家到发展中国家，根本不存在新自由主义者笔下那种“伊甸园”式的经济制度，不管哪一国，其实际存在的体制都是不完善的，制度也都有弊病。所以，不能拿自己的实际制度与别人“理想中的制度”作比较。

总之，当今中国所面临的大问题，从生态建设、环境保护，到经济稳定增长与收入分配，也是世界各国面临过或者依然面临的难题；当今中国改革者正在探索解决的基本关系问题，从政府与市场、国家与社会、集体与个人，到穷人与富人，同样也是世界各国、包括西方发达国家至今没有解决的挑战。在回应这些挑战、寻求解决之道的时代探索中，中国与世界各国、包括发达国家，处于同一条起跑线。中国可以也应该关注与借鉴他国成功经验，而中国成功的经验也会成为世界的财富。

四、中国三维市场体制的组织变革与流程再造

如前所述，中国经济体制实际上已经走出了转换基本框架的阶段。那么，新发展阶段的中国需要什么样的改革？

近年来，许多学者认为中国改革正进入“深水区”，他们认为中国在资源、环境、民生、收入分配、城乡二元结构和腐败等方面还存在较为突出的矛盾和问题，若要解决这些矛盾和问题将深刻触动现有的利益格局，所以进一步的改革会进入“深水区”。实际上，如果说改革还存在“深水区”的话，那只能是指政治体制层面；就经济体制而言，改革已经走出了基本体制转换的“深水区”。从这个角度说，真正的经济改革“深水区”发生

在20世纪后20年，经过30多年的改革，真正困难的部分已经基本攻克。如意识形态方面，曾经长期存在“姓资姓社”的激烈争论，经过20世纪90年代中期的“交锋”，中共中央最终确立了社会主义市场经济体制及其各项配套方案的改革目标，标志着这一根本问题的解决。如所有制改革，曾长期被视为最艰巨、最困难的改革任务，但是，在90年代中期中共中央提出国有经济战略重组的改革战略后不长时间内就完成了。当时，数以万计的国有企业经历了改制、转制，如今的国企多数是具有产业龙头地位的特大型现代企业，而且基本完成了公司化改革和公开上市。再如私人创业，各种障碍也被基本扫除，创业行为已然成为中国市场经济充满活力的保障。现在，每天都有大量新企业涌入市场，这些企业的成长、分化、繁荣、衰弱或者退出每天都在中国市场经济的舞台上演。此外，在价格和市场机制方面，早在80年代后期，“价格闯关”一经提出，立刻激起社会和经济界的高度紧张，但是，在随后不太长的时间内大部分产品都实现了市场定价。目前，仍由国家管制的价格只涉及少数关键性生产要素(如银行利息、油价等)；计划经济和计划外经济这两种曾经同时存在的“双轨制”现象的并轨也得以完成。在劳动力方面，即使还存在着户口制度这样的局限，但全国性的劳动力市场已经有效运行多年，数以亿计的农村劳动力向城市工业部门自由流动。凡此种种，都说明市场机制已经成为中国资源配置的基础性力量，社会主义市场经济的基本体制已经建立起来。值得强调的是，从旧式的集权型计划经济向社会主义市场经济的转变，曾严重挑战了众多传统部门作为既得利益者的格局，并一度引发相当严重的经济和社会冲突，如在数千万国有企业员工下岗的年头曾发生了规模大小不等的群体性事件。与之比较，现在面临的改革虽然也涉及利益调整，但是，这些矛盾的深刻和激烈程度是无法与当年转换基本体制阶段的矛盾相比拟的。

那么，未来继续改革的主题是什么呢?

对已经完成的改革，可将其归纳为“创建市场”；相应地，面向未来继续改革的主题应该是“政府再造”。

“政府再造”的目标就是提升政府效能，提高廉政水平，使政府的运行与市场经济更加适应。围绕这一总目标，必然涉及政府部门的组织变革及业务模式的流程再造。

目前这方面的研究比较薄弱，下面仅基于初步思考提出若干值得关注的议题，以推动相关研究的深入。

(一) 国家基本体制的改革

中国改革30多年形成的体制中，最为突出的特色就是中央与地方政府的关系。实际上，中国目前形成的国家体制既不是传统集权模式，也不是曾经有人讨论过的新权威主义的威权政府，更不是西方意义上的联邦制度；它是一种导入地方发展自主权的一体化政府，或者，反过来说，它是中央统一领导下的分权型政府。它最大的优势，就是有效解决了国家统一和地方自主这对基本矛盾。①这一政府体制上的优势，来之不易，影响重

① 中国历史上，顾炎武在探讨中国政制得失时，提出“寓封建之意于郡县之中”的思想(《顾炎武全集·亭林诗文集》卷一《郡县论一》)，但却无从实现。今天改革的成就，真正宣告了古代中国的终结。

大；对于仍然存在的问题，则需在实践中探索解决，绝不应轻言放弃。

目前亟待解决的是进一步深化与细化中央与地方政府权力的合理配置，将分权制度化，通过立法保障地方政府成为自主发展的主体。总的原则是实现事权和财权的匹配，完成中央与地方事权、财权的界定。

一段时间以来，地方融资平台及地方政府发行债券等问题引起广泛议论。实际上，关键在于设计和编制统一规范的地方政府资产负债表、研究与制定法规、界定地方政府资产负债管理的原则与界限，再由专业金融机构对地方政府的资产负债问题进行专业评估与运作。而中央政府负责进行风险控制管理，使地方政府将资产负债控制在可持续的范围内。

（二）政府组织变革与部门整合

政府部门主要划分为四大类，即战略研究规划部门、规划与政策执行部门、市场监管部门以及公共行政服务部门。

1. 战略研究规划部门

在中央政府层面，首先要界定战略规划部门和执行部门并将两者分离。当前的问题是，部门间战略规划、资源分配、项目审批多种职能划分不清、高度重叠，几乎所有部门既是立法者，又是执行者。在此局面下，单个部门权力过大、过杂，而部门间权力又相互掣肘，因而导致“对下官僚主义，对上忙于应付，互相间各行其是”的局面，严重降低政务效能与廉政水平。

有鉴于此，改革的一个重点方向是建议剥离国家发改委经办的资源分配和项目审批两类执行性工作，使其聚焦于国家级战略的研究规划、督导协调的职能领域，专注于研究和拟定国家级长期发展战略、五年发展规划及战略性重大决策，如国家能源结构转型与战略性资源保障、外汇储备的战略使用、全球气候变暖议题的应对方案、合理可行的收入分配体系、中央与地方分权体系的改进、涵盖资产负债管理的复合财政体系、城镇化与深度工业化的重大政策、教育发展战略与体制的改革等。通过创新知识、积累经验、培养人才，使发改委真正成为管理国家级长期发展战略的关键机构。

当发改委不再承担资源分配与项目审批等执行性职能之后，便可协调财政、央行、审计等部门，主持各个政策执行部门效能的评估和审核，不但起到监督执行部门的作用，同时还可以根据得到的反馈动态进一步提高其战略与政策制定水平。

为提高国家战略与重大政策的质量，应适当增加制定过程的开放性，充分调研，集思广益。为此，要打造中国特色的战略与政策制定的基础架构，培育与建设政府、大学、社会多层次的研究与咨询机构；用于国家发展战略研究的经费应由中央财政预算保障，并规定一定比例用于向社会独立咨询机构购买研究成果。

2. 规划与政策执行部门

农业、工信、交通、能源、科技、教育、卫生等专业部门是政策执行部门的主体，各部门的政策、法规制定应纳入统一的国家战略与政策制定体系。执行部门的职能则是根据国家统一制定的战略与政策编制具体的操作方案，包括资源分配与项目备案、审核或审批；并及时反馈执行过程中遇到的问题，对政策的适时调整与修改提出建议。与此同时，执行部门接受由发改委牵头的对其政策执行情况的定期评估和审核。

3. 市场监管部门

政府部门的另一大类是市场监管部门。改革开放以来，个人利益得到肯定，社会各界追求利益的积极性得到充分调动和放大。但是，由于法制与市场监管相对滞后，发生众多在规范市场经济中不常见的恶性事件。从早年假皮鞋、假烟酒的“制假贩假”，到最近的毒奶粉、毒胶囊、“食药鸡”等食品安全问题，再到煤矿爆炸、化工污染、虚假广告等诸多无良行为造成的社会性问题，凸显中国当前市场监管与法制化滞后所引起的经济失序。因此，必须全面提高中国市场监管的力度与效能，争取在较短时间内改善市场秩序。

例如，在金融市场方面，可将银行、证券、保险等行业监管部门整合为统一的金融监管机构，以便适应金融行业各部门互相融合的趋势，提高金融行业监控、金融预警、突发事件与系统性风险的处置与应对的实际能力。

又如，在工商业领域，对工商行政管理、质量技术监督、食品药品监督等部门加以整合，设立国家统一的市场监管机构。在此基础上，统一部署，尽快加强从标准研制、科学抽查到有效惩处的全过程的流程再造。

4. 公共行政服务部门

公共行政服务部门指向社会公众提供公共行政服务的部门，其主要职能之一就是办理各种证照，从身份证、结婚证、房产证、驾驶证到营业执照、税务证、公证文件等。近年来，中国公共行政服务部门从便民服务中心、市民大厅等网点建设到服务态度，都作出了很多努力，但仍然存在着许多不必要的流程。为此，需要进行多方面的流程再造。

例如，政府部门制定相关业务的政策与流程，但不再直接经办各项证照审核与发放事项，而是选择合格的中介机构（律师事务所、会计师事务所等），以此达到减少政府编制、创造市场竞争、增加办事网点的效果。公共行政服务的具体事项转给合格中介机构办理之后，应明确其职责是审核文本形式的合规性与文本自身签署人的真实性，而不是审查判断文本内容的合理性，从而消除把备案变成审查的可能。即对当事人双方自愿达成的协议或提交的文本，政府行政部门或者指定中介机构只需核定文本形式与签署的真实性，并负责保管文件，在纠纷发生时提供真实的文本原件即可。

（三）建立与改善复合型国家理财体系

1. 设定一般性财政收入的上限

中国人口众多，在公共支出方面存在着明显的规模经济，对于同样水准的人均公共服务，所需要的财政支出应小于西方国家，因而，一般性财政收入占GDP的比例也应该小于西方国家。所以，国家应设定GDP中一般性财政收入占比的上限。

2. 编制与实施国家理财必需的复合型国家预算

由公共财政向国家理财的升级，可以从财务报表体系的研究和规范化起步，将公共财政收支预算、资产负债预算、土地财政等纳入统一的预算体系，实现各类财务事项的规范化、透明化。

3. 解决国有资本预算及国资定位

其中，国有资本的预算制度较为复杂。首先涉及国资委管理体制的改革。这需要明确国民经济中国有资本的长期定位，可通过“社会化、权益化、年金化”的措施，将国有企业的资本，除少量保留在国资委名下，用合适的方式分解为三类：

第一，国有资产转变为社会资本，即通过国有股权配置给原本享受财政拨款的社会事业与公益机构，使这些社会公益机构行使国有产权所有者的职能，并以股权红利和增值来支持相应的社会公益事业；与此同时，国家财政相应调减对这些机构的年度财政拨款。社会公共事业需要公共财政的资助，将大型国企的股权配置给这类公共事业单位，用本来应归全民的国资利润支持为全民服务、让全民收益的社会公共事业，既理所当然，也有助于在减少国家公共财政支出的同时，推动事业单位构建相对自主的基金和收入来源，从行政事业单位变成真正独立的社会法人。

第二，国有资产转变为国家所有的股权资本，即将企业的国有股权通过合约方式委托给专业产权经营公司运作，定期进行终止结算，对委托期的产权增值由国家和产权经营公司按预定合同规则进行分配。这样，国企中的国有资产变成国有股权资本；国资委考核产权经营者的资本管理能力，而产权经营公司代替国资委出任国企的股东和董事。

第三，将国有资产转变为国家的年金资本，即通过将国有产权出售变现为货币资本，再用货币资本对可以带来稳定收入的资产进行投资，从而增加一项由资产产生的稳定收入来源，即“年金资本”。这类资产通常指能源、交通、电力、城市公用事业、出租性房地产等基础设施。如果(1)将产业企业中的国有股本金卖出，加上利用国家信用发行长期公债，筹集长期资金，转变成为永久性国家投资基金；(2)投资基金用于投资和回购具有稳定现金流的资产，如水电管网、路桥收费权、城市商铺等；(3)通过招标将这些设施委托给专业公司进行运营管理；那么，既可实现国有资本的保值，又为国家提供长期稳定的财产性财政收入。

如上述分解以后，就形成了国有资本经营者的行业。相应地，国资委从承担国有资本保值增值的职责转化为国有资本经营者行业的监督管理者，类似银监会对银行业的监督管理。

4. 国家预算的审批和执行流程

国家预算的流程需要进行全面的再造，以增强其专业性、民主性和透明度。尤其需要强调的是，预算民主性的提高，不等于采纳西方议会制度下议员审批预算的体制。欧美发达国家的实践表明，在大众民主与大众媒体的时代，议员审批预算的体制蕴含着局部利益凌驾集体利益、狭隘利益集团宰制预算总体科学性的风险。在严重的情况下，甚至导致政府预算被福利民粹主义挟制，陷入长期赤字运作的困境。

中国需要建设的预算民主是利用中国政治制度的特点，通过统筹发挥人大、政协的积极作用，引入社会专业咨询机构的服务功能，同时强化上级预算管理机构和审计机构对下级预算执行部门的审查、审计，从而提高预算编制与执行的水平。目前，需要在总结中国自身实践经验的基础上，尽快修订预算法。

5. 研究与实施国民收入的1.5次分配

国民收入按生产要素分解成劳动者的工资与资本方的利润，

即初次分配；政府通过向工资与利润征税及公共支出改变初次分配的结果，即二次分配。但西方发达国家的教训是：过分依靠二次分配来调节社会收入不平等容易导致福利刚性和福利依赖，导致国家财政危机长期化。因此，中国应扬长避短，注重利用国有资本产生的财产性财政收入，缩小收入分配的不平等。为了与依赖税收的二次分配相区别，本书将通过财产性财政收入调节收入分配的模式称为1.5次分配。

比如，由各级政府作为国有资产运营主体，利用国家发行公债的能力，接手或收购能够产生固定收入的各种资产，将这些能够产生稳定现金流的资产转变为固定收益型国有资本，使其随着经济发展和人均收入的提高实现保值增值。这一部分来自财产的收入，再加上国有企业及各类国有资本的利润分红，构成国家财政中的财产性收入。

可通过行政立法或者中央决策，用上述财产性财政收入设立社会收入保障基金，定向对低收入群体进行帮扶补助，从而在不增加一般性财政负担的情况下，实现对低收入者的定向收入再分配。

(四)政府业务模式的流程再造

政府业务模式的流程再造涉及诸多事项，这里仅作概括性说明。

1. 事权划分

首要的问题是缩小行政审批范围。目前，政府行政审批的范围过广，内容过细，在一定程度上影响了公司法赋予企业的自主经营权，亟待大幅度取消不必要的行政审批事项。在企业投资的项目审批方面，应该确立除国家安全考虑之外，投资决策由企业自行决定的原则；不再以经济合理性（如防止重复投资、提高规模经济等）为依据，设置对企业投资项目的审批和审核；应积极、稳健地取消在诸多行业中（如区域性银行、钢铁、汽车等）对国内民营企业的准入限制。按照上述原则，目前大部分项目审批将不再必要。

2. 法规和政策的订立

目前，部门主导型的立法模式容易产生两种偏向：一种是容易受部门利益导向，设置不必要的审批和核查条款，增加企业成本，并影响政策法规的效能；另一种是容易受公众舆论和学院派“浪漫主义”的影响，过早地设置某些方向正确、用意良好、但条件尚不成熟的条文，在实际执行中产生诸多困扰。为此，可以考虑逐步打造由政府部门、业界代表和独立研究咨询机构三方组成的互动型法规政策的研究、拟定模式；同时，在流程上引入政府部门和研究咨询机构人员实地调查研究环节，克服决策者的学院派倾向，杜绝“闭门造车”。

3. 法规和政策的执行

当前的普遍情况是，法规和政策的执行度偏低。从食品安全、生产安全、环保监管、土地控制到政府监管的方方面面，均存在“有法不依、有规不守”的情况，这种“软法规约束”使得中国社会、经济、文化生活中的诚信之风渐失，导致严重的失序和混乱。

“软法规约束”是导致社会失序的原因，而其自身又源于执法过程的不合规行为。一是执法检查不规范、不科学，不仅会因受检者的公关而使执法检查流于形式，也有将执法检查变成对普通企业进行骚扰的情形，即该查的不查，不该查的乱查。二是对违规处罚的裁定主观随意，主要倾向是处罚力度过轻，造成违规行为的预期收益显著高于预期成本。从目前报道的大量案件处理方式来看，在现行监管处罚方式下，违规成了追求私利的“理性行为”，违规者比遵纪守法者获益更多。从长期看，“劣币驱逐良币”只会使违规行为日益泛滥。

因此，解决“软法规约束”的根本办法是在经济上让违规者的预期收益显著低于预期成本。为此，除了提高上述法规政策的可执行度之外，更重要的是：第一，研究和确立以随机抽查为基础的执法检查规则，确立对违规者在一定时期中优先抽查的规则，切断检查方和被检查方事先串通的渠道。第二，研究与确立以概率为原则的处罚计量规则，确保一次违规行为被发现后的处罚量足以抵消违规者长期违规所获得的潜在收益；在处罚结果的执行上，确立终身追究的规则，避免违规者以没有偿付能力为由躲避责任。此外，要坚守对违规者的处罚实施由国家政权独立承担这一底线，不允许将执法责任推给受害者。总之，违法违规的经济行为，虽然涉及道德素质，但它首先是一个经济问题，为的是追求经济利益。因此，只有设计缜密有效的识别与处罚制度，使违法违规者在总体上与长期中得不偿失，才能根治故意违法违规的行为。

(五) 政府部门的人事改革

政府部门人事改革，或准确地说，主要指公务员队伍建设，涉及面广，但以下几方面亟待研究和解决。

1. 岗位管理

应研究和确立政府部门组织结构及其内部的岗位设置。可参照现代工商管理中“组织设计”的原则和经验，组织专门力量，长期负责对政府部门及内设机构的优化。在部门设置基本合理的基础上，确定岗位设置，编写统一规范的岗位职责说明书，明确界定岗位的职责、权限、考评标准和方法、任职资格（含专业、证书要求），并确定相应的岗位报酬。

2. 薪酬制度的建立和完善

应依岗定薪。总原则是使公务员的职务收入与在非政府部门中同等素质的在职人员的薪酬大致接近，即制定与社会相适应的、合理合法的收入水平。目前的公务员薪酬结构中，岗位法定收入大部分显著低于市场工资，但实物消费与补贴等非正式收入和灰色收入比重高，这导致在职期和退休后实际收入的反差尤为强烈。因此，要研究、学习新加坡等国家的经验，建设合理的公务员退休收入保障制度，以保证公务员退休后能大致维持退休前的生活水平，得到与社会经济地位相应的体面收入。

3. 公务员分类管理

与西方政府中的公务员角色不同，中国的公务员队伍中相当一部分人承担着推动地方经济发展、履行类似企业总部管理服务的职责。对这一部分公务员的收入，通过制度改革规范化、合法化，以大幅度减少官员腐败的范围。可行的方法是，将相关部门转制成为非政府部门（如准政府性的事业单位或市场性咨询机构），制定条例允许并规范此类事业单位或咨询机构在向企业提供类似公司总部管理服务职能时收取服务费和咨询费，使这一部分人的收入水平和服务业绩挂钩。

4．杜绝权力性收入

在对公务员队伍实行上述薪酬改革和分类管理的前提下，加强反腐倡廉的力度，降低对腐败现象的容忍程度，并且总结实践经验，逐步建立可执行度较高的反腐倡廉制度，比如财产公示制度、职务回避制度、贪腐收入的科学处罚制度。其中特别重要的是，应坚决杜绝“以权经商、官商通吃”的行为，不但要禁止官员本人及配偶直接或间接的经商行为，还要对任职官员的其他直系亲属实施同样的规则。此外，鉴于中国人情社会的历史背景下多种隐秘的经商渠道，应该建立官员经商收入的永久责任追究制度，使得官员经商获取的收益无论在何时何地被发现，都会按照预定的法规和党纪进行有效的处置，从根本上杜绝蒙混过关的可能。

5．干部职务升迁制度的探索

这方面，不少创新举措相继出台，如不断健全多元化的干部培训、考评、公示制度。但是，以下两个问题值得重视：一是买官卖官；二是“空有理论、缺少实践”、“只会讲、不会做”的空谈型干部不乏其人。因此，一方面要进一步探索杜绝买官卖官现象的机制，另一方面要建立领导干部任职经验档案。目前，空降任职、凑齐经历以方便提升调任的情况，对干部队伍的合理预期破坏极大，应该严加控制。对担任主要领导职务的干部坚持离任审计制度，并且把离任审计的结果作为提升与否的依据。同时杜绝利用政绩工程谋取职务升迁的短期行为。

上述各项有待改革的议题只是对于未来改革的某种不完全描述，重点在于说明进一步体制改革的主题将是组织变革和流程再造。30多年前从集权型计划经济转向社会主义市场经济的基本制度与框架的转变，可称为“第一次改革”。与之相比，未来以组织变革和流程再造为主题的改革，可称为“第二次改革”。此次改革也许不如“第一次改革”具有革命性，但是，其复杂性、专业性和系统性，却大大超过了“第一次改革”。

需要指出的是，“第一次改革”的重点在放权、让利，它调动了社会各方面、各层级从事创业、发展的积极性和自主性。从中国社会的整体现状来看，重创业、谋发展的活力确实被有效地激发出来，但因此产生了一个巨大的挑战，即如何将个人和局部的利益追求，引导到有利于社会总体经济长期可持续发展的轨道上来。为此需要进行相关制度建设，通过合理有效的制度安排抑制和消减损人利己、只顾眼前牺牲长远等“向下竞争”的负面行为，保护、鼓励、激发追求互利共赢、有利于长期发展的良性竞争行为。

“第二次改革”适应了当前改革内涵的历史演进。当然，组织流程方面的系统设计、改进调整、科学管理亟待加强。只有通过艰苦、细致的努力和长期奋斗，才有望成功；只有坚持推进“第二次改革”并取得成效，中国特色社会主义市场经济体制才会进一步显示出它相对于西方常规市场经济的巨大优势，并从制度上保障经济、社会的可持续发展，实现中华民族的伟大复兴。

附表

附表 1　中国的投资与消费(1978—2011 年)

年份	消费				投资		
	最终消费率(%)	总消费(亿元)	消费增长率(%)	人均实际消费(元)	资本形成率(%)	总投资(亿元)	投资增长率(%)
1978	62.10	4 088.70		427.61	38.20	2 515.11	
1979	64.40	4 561.23	11.56	470.71	36.10	2 556.84	1.66
1980	65.50	5 002.92	9.68	509.86	34.80	2 658.04	3.96
1981	67.10	5 393.84	7.81	542.70	32.50	2 612.52	−1.71
1982	66.50	5 829.75	8.08	577.99	31.90	2 796.53	7.04
1983	66.40	6 452.74	10.69	630.58	32.80	3 187.50	13.98
1984	65.80	7 364.85	14.14	710.32	34.20	3 827.93	20.09
1985	66.00	8 382.02	13.81	797.50	38.10	4 838.71	26.41
1986	64.90	8 971.46	7.03	840.98	37.50	5 183.82	7.13
1987	63.60	9 810.13	9.35	904.96	36.30	5 599.18	8.01
1988	63.90	10 968.26	11.81	995.64	37.00	6 350.95	13.43
1989	64.50	11 521.10	5.04	1 029.91	36.60	6 537.55	2.94
1990	62.50	11 592.44	0.62	1 020.90	34.90	6 473.22	−0.98
1991	62.40	12 636.25	9.00	1 098.06	34.80	7 047.14	8.87
1992	62.40	14 435.74	14.24	1 239.15	36.60	8 467.12	20.15
1993	59.30	15 634.29	8.30	1 326.69	42.60	11 231.38	32.65

（续表）

年份	消费				投资		
	最终消费率（%）	总消费（亿元）	消费增长率（%）	人均实际消费（元）	资本形成率（%）	总投资（亿元）	投资增长率（%）
1994	58.20	17 351.41	10.98	1 455.86	40.50	12 074.43	7.51
1995	58.10	19 213.98	10.73	1 594.71	40.30	13 327.42	10.38
1996	59.20	21 537.20	12.09	1 768.90	38.80	14 115.60	5.91
1997	59.00	23 459.99	8.93	1 907.20	36.70	14 592.91	3.38
1998	59.60	25 554.96	8.93	2 057.67	36.20	15 521.64	6.36
1999	61.10	28 194.38	10.33	2 250.63	36.20	16 704.36	7.62
2000	62.30	31 171.94	10.56	2 468.78	35.30	17 662.43	5.74
2001	61.40	33 271.60	6.74	2 616.00	36.50	19 778.72	11.98
2002	59.60	35 229.37	5.88	2 751.43	37.80	22 343.46	12.97
2003	56.90	37 005.29	5.04	2 872.19	41.00	26 664.62	19.34
2004	54.40	38 947.42	5.25	3 005.03	43.00	30 785.65	15.46
2005	53.00	42 236.70	8.45	3 239.71	41.50	33 072.14	7.43
2006	50.80	45 615.37	8.00	3 479.38	41.70	37 444.11	13.22
2007	49.60	50 845.47	11.47	3 858.11	41.60	42 644.59	13.89
2008	48.60	54 620.39	7.42	4 123.37	43.80	49 225.78	15.43
2009	48.50	59 530.47	8.99	4 471.74	47.20	57 934.81	17.69
2010	48.20	65 342.92	9.76	4 884.70	48.10	65 207.35	12.55
2011	49.10	72 749.74	11.34	5 399.47	48.30	71 564.41	9.75
期间平均	59.56		9.15		38.51		10.92
年复合增长率		9.12%		7.99%		10.68%	

注：此处总消费、总投资均以1990年不变价记；总消费为政府消费与家庭消费之和，最终消费率为总消费占当年实际GDP的比。

资料来源：国家统计局编：《中国统计年鉴2012》，中国统计出版社2012年版。

附表 2　中国资本产出比(1978—2010 年)

年份	实际 GDP (亿元人民币)	实际投资 (亿元人民币)	年份	实际 GDP (亿元人民币)	实际投资 (亿元人民币)
1978	6 584.056	2 516.133	1995	33 070.529	13 324.122
1979	7 082.657	2 559.386	1996	36 380.401	14 120.218
1980	7 638.039	2 660.317	1997	39 762.699	14 592.585
1981	8 038.511	2 616.272	1998	42 877.449	15 516.563
1982	8 766.549	2 798.082	1999	46 144.641	16 686.257
1983	9 717.981	3 187.633	2000	50 035.224	17 654.531
1984	11 192.783	3 823.457	2001	54 188.269	19 765.888
1985	12 700.025	4 837.698	2002	59 109.685	22 355.833
1986	13 823.517	5 185.414	2003	65 035.654	26 641.532
1987	15 424.732	5 605.841	2004	71 594.526	30 766.547
1988	17 164.731	6 358.109	2005	79 691.892	33 104.481
1989	17 862.169	6 534.215	2006	89 794.040	37 477.566
1990	18 547.902	6 468.058	2007	102 511.027	42 659.190
1991	20 250.400	7 057.064	2008	112 387.624	49 200.323
1992	23 134.200	8 464.966	2009	122 743.244	57 878.987
1993	26 364.732	11 218.578	2010	135 566.217	65 156.591
1994	29 813.419	12 076.247	2011	148 166.480	71 564.410

年　份	GDP 增加额 (亿元人民币)	投资增加额 (亿元人民币)	资本产出比
1978—1987	10 580.675	35 790.233	3.383
1988—1997	25 712.718	100 214.162	3.897
1998—2007	92 688.768	369 707.698	3.989
2001—2010	93 978.211	385 006.938	4.097
1978—2010	**128 982.161**	**505 712.094**	**3.921**

注：在资本产出比的计算中，由于当年投资能在何时产生效益难以测度，为简单起见，就用 10 年期总投资和滞后一年的 10 年期总 GDP 增加来计算一个 10 年平均的资本产出比。资本产出比还有其他测算方法，这里主要关注一个经济体在较长时期内的总体表现。附表 3、附表 4 同样如此。

资料来源：国家统计局编：《中国统计年鉴 2012》，中国统计出版社 2012 年版。其中实际 GDP 与实际投资均以 1990 年不变价计。

附表3 美国资本产出比(1965—2010年)

年份	实际GDP(10亿美元)	实际投资(10亿美元)	年份	实际GDP(10亿美元)	实际投资(10亿美元)
1965	3 607.00	435.70	1988	7 607.40	984.90
1966	3 842.10	474.10	1989	7 879.20	1 024.40
1967	3 939.20	452.40	1990	8 027.10	989.90
1968	4 129.90	478.70	1991	8 008.30	909.40
1969	4 258.20	506.60	1992	8 280.00	983.10
1970	4 266.30	473.40	1993	8 516.20	1 070.90
1971	4 409.50	527.30	1994	8 863.10	1 216.40
1972	4 643.80	589.80	1995	9 086.00	1 254.30
1973	4 912.80	658.90	1996	9 425.80	1 365.30
1974	4 885.70	610.30	1997	9 845.90	1 535.20
1975	4 875.40	502.20	1998	10 274.70	1 688.90
1976	5 136.90	603.70	1999	10 770.70	1 837.60
1977	5 373.10	694.90	2000	11 216.40	1 963.10
1978	5 672.80	778.70	2001	11 337.50	1 825.20
1979	5 850.10	803.50	2002	11 543.10	1 800.40
1980	5 834.00	715.20	2003	11 836.40	1 870.10
1981	5 982.10	779.60	2004	12 246.90	2 058.20
1982	5 865.90	670.30	2005	12 623.00	2 172.30
1983	6 130.90	732.80	2006	12 958.50	2 231.80
1984	6 571.50	948.70	2007	13 206.40	2 159.50
1985	6 843.40	939.80	2008	13 161.90	1 939.80
1986	7 080.50	933.50	2009	12 757.90	1 458.10
1987	7 307.00	962.20	2010	13 063.00	1 658.00
			2011	13 299.10	1 744.00

（续表）

年份	GDP增加额 (10亿美元)	投资增加额 (10亿美元)	资本产出比
1965—1974	1 268.40	5 207.20	4.105
1975—1984	1 968.00	7 229.60	3.674
1985—1994	2 242.60	10 014.50	4.466
1995—2004	3 977.00	17 198.30	4.324
2005—2009	440.00	9 961.50	22.640
1965—2010	**9 692.10**	**51 269.10**	**5.290**

资料来源：BEA，“GDP and Other Major NIPA Series，1929—2012：Ⅱ”，August 2012。其中实际GDP与实际投资均以2005年不变价计。

附表4 日本资本产出比(1980—2010年)

年份	实际GDP(10亿日元)	实际投资(10亿日元)	年份	实际GDP(10亿日元)	实际投资(10亿日元)
1980	269 833.88	86 721.91	1996	467 345.70	133 730.97
1981	281 104.42	87 322.28	1997	474 802.70	133 353.09
1982	290 596.21	86 504.68	1998	465 291.70	121 441.13
1983	299 490.60	83 255.39	1999	464 364.30	114 841.94
1984	312 859.56	86 574.50	2000	474 847.20	119 210.39
1985	332 674.07	93 790.80	2001	476 535.10	115 817.09
1986	342 092.33	95 652.44	2002	477 914.80	107 334.88
1987	356 143.52	101 479.53	2003	485 968.30	108 852.04
1988	381 596.01	116 997.34	2004	497 440.80	111 944.08
1989	402 088.29	127 976.66	2005	503 921.00	113 210.89
1990	424 494.26	138 079.49	2006	512 452.00	116 229.24
1991	438 605.89	141 463.56	2007	523 685.80	119 840.26
1992	442 198.20	135 210.94	2008	518 230.90	119 073.91
1993	442 954.64	129 599.67	2009	489 588.40	96 277.56
1994	446 779.90	125 312.83	2010	511 780.20	101 194.30
1995	455 457.90	127 974.56	2011	507 916.80	100 917.99

年份	GDP增加额(10亿日元)	投资增加额(10亿日元)	资本产出比
1980—1989	154 660.38	966 275.52	6.248
1990—1999	50 352.95	1 301 008.18	25.838
2000—2010	33 069.60	1 228 984.64	37.164
1980—2010	**238 082.93**	**3 496 268.34**	**14.685**

资料来源:IMF,“World Economic Outlook Database”,October 2012。其中实际GDP以2005年不变价计,实际投资以投资率乘以不变价GDP计算得来。

附表 5　股指、房价上涨与美国家庭负债的成长（1987—2012 年）

年份	Composite-10CSXR-SA	家庭负债（亿美元）	上市公司总市值（亿美元）
1987	63.10		
1988	70.76		27 900.00
1989	78.33		35 100.00
1990	82.65	26 063.04	30 600.00
1991	78.87	27 743.17	40 900.00
1992	78.07	29 417.47	44 900.00
1993	76.89	31 006.71	51 361.99
1994	76.06	32 779.19	50 670.16
1995	77.20	34 453.83	68 576.22
1996	76.99	36 684.16	84 844.33
1997	78.57	39 025.68	113 087.79
1998	83.26	42 590.17	134 513.52
1999	90.71	47 600.00	166 351.14
2000	100.75	55 100.00	151 040.37
2001	115.43	59 300.00	138 546.16
2002	124.83	66 600.00	110 981.02
2003	143.86	80 655.00	142 662.66
2004	164.01	90 416.00	163 237.26
2005	194.60	100 022.00	169 708.65
2006	223.87	113 133.00	194 258.55
2007	222.73	123 716.00	199 472.84
2008	197.40	126 699.00	117 376.46
2009	159.13	121 661.00	150 772.86
2010	159.18	117 132.00	171 389.78
2011	155.75	115 368.00	
2012	149.39		

资料来源：家庭负债数据 1999 年以前采用联邦住房金融局数据（http://www. fhfa. gov/Default. aspx?Page=70），此数据仅含住房抵押贷款；1999 年以后采用美联储数据（http://www. federalreserve. gov/econresdata/default. htm），此数据为家庭总负债。

上市公司总市值数据来自世界银行数据库，http://data. worldbank. org. cn/indicator。

房价指数来自标准普尔，S & P/Case-Shiller Home Price Indices。

附表6　美国年度对外资本输出与贸易赤字(1978—2011年)

年份	经常账户赤字(亿美元)	经常账户余额占GDP(%)	对外直接投资净流出(亿美元)	对外直接投资净流出占GDP(%)	GDP(亿美元)
1978	157.47	-0.69	147.20	0.65	22 760
1979	1.57	-0.01	253.70	1.00	25 435
1980	-21.27	0.08	192.30	0.69	27 675
1981	-48.10	0.15	96.20	0.31	31 038
1982	116.07	-0.36	-9.82	-0.03	32 277
1983	442.22	-1.26	77.40	0.22	35 069
1984	990.08	-2.54	123.50	0.32	39 004
1985	1 244.55	-2.97	140.60	0.34	41 848
1986	1 471.74	-3.33	239.97	0.54	44 250
1987	1 606.47	-3.42	350.33	0.75	46 989
1988	1 212.58	-2.40	225.27	0.45	50 619
1989	995.06	-1.83	434.50	0.80	54 397
1990	789.52	-1.37	372.00	0.65	57 508
1991	-28.51	0.05	379.00	0.64	59 307
1992	516.05	-0.82	482.70	0.77	62 618
1993	847.83	-1.29	839.50	1.28	65 829
1994	1 216.42	-1.74	801.80	1.15	69 933
1995	1 135.61	-1.55	987.80	1.35	73 384
1996	1 247.27	-1.61	918.80	1.19	77 511
1997	1 407.25	-1.70	1 048.20	1.27	82 565
1998	2 150.37	-2.46	1 426.40	1.63	87 410
1999	3 016.52	-3.24	2 249.34	2.42	93 010
2000	4 163.43	-4.21	1 592.12	1.61	98 988
2001	3 965.99	-3.88	1 423.50	1.39	102 339
2002	4 572.50	-4.32	1 544.57	1.46	105 902

（续表）

年份	经常账户赤字（亿美元）	经常账户余额占GDP（%）	对外直接投资净流出（亿美元）	对外直接投资净流出占GDP（%）	GDP（亿美元）
2003	5 190.90	−4.68	1 495.64	1.35	110 893
2004	6 285.24	−5.33	3 162.22	2.68	117 978
2005	7 457.80	−5.94	362.36	0.29	125 643
2006	8 006.18	−6.01	2 449.23	1.84	133 145
2007	7 102.99	−5.09	4 140.42	2.97	139 618
2008	6 771.41	−4.76	3 290.83	2.31	142 193
2009	3 765.54	−2.72	3 036.05	2.19	138 636
2010	4 709.02	−3.26	3 513.51	2.43	144 471
2011	4 734.41	−3.14	4 062.42	2.69	150 940

资料来源：世界银行数据库，http://data. worldbank. org. cn/indicator。

附表7 美国金融产业的规模增长情况(1960—2011年)

年份	广义货币M2(亿美元)	金融企业的金融资产(亿美元)	全球OTC衍生品总市值(亿美元)	年份	广义货币M2(亿美元)	金融企业的金融资产(亿美元)	全球OTC衍生品总市值(亿美元)
1960	3 529.73	6 828		1986	36 777.90	100 569	
1961	3 845.07	7 460		1987	39 275.48	110 083	
1962	4 203.32	8 000		1988	41 363.90	120 044	
1963	4 582.95	8 732		1989	42 471.61	132 588	
1964	4 978.07	9 544		1990	43 108.90	138 044	
1965	5 213.03	10 423		1991	43 042.87	149 736	
1966	5 748.80	11 016		1992	43 299.59	160 985	
1967	6 253.49	12 124		1993	43 474.81	177 593	
1968	6 313.42	13 339		1994	46 461.19	190 251	
1969	7 019.58	14 076		1995	50 115.59	214 038	
1970	7 999.18	15 266		1996	54 126.59	237 586	
1971	9 086.30	17 207		1997	59 323.77	270 262	
1972	10 010.92	19 693		1998	64 964.59	306 049	32 315.40
1973	10 796.85	21 609		1999	70 233.52	347 620	28 133.73
1974	11 895.80	22 955		2000	75 474.83	365 083	31 830.59
1975	13 110.16	25 537		2001	78 792.96	382 141	37 881.93
1976	14 687.95	28 542		2002	82 312.08	389 310	63 598.47
1977	16 343.43	31 827		2003	87 020.86	437 065	69 872.18
1978	17 943.83	36 520		2004	94 117.02	478 243	94 052.72
1979	19 860.11	41 343		2005	102 611.23	519 739	97 997.28
1980	22 256.12	46 621		2006	114 662.37	579 950	97 907.80
1981	24 488.90	51 764		2007	124 054.13	637 394	158 024.97
1982	26 514.44	57 678		2008	123 166.21	623 419	352 807.19
1983	29 837.58	65 149		2009	120 683.09	640 555	215 416.26
1984	32 312.04	73 886		2010	129 876.23	646 538	212 961.47
1985	35 341.44	87 684		2011		660 670	272 776.92

资料来源:世界银行,国际清算银行,U. S. Bureau of Economic Analysis(BEA)。

附表 8　美国金融与企业利润(1940—2011 年)

年份	企业总利润(亿美元)	金融企业利润(亿美元)	金融利润占比(%)
1940	94	11	11.70
1941	149	11	7.38
1942	201	12	5.97
1943	244	13	5.33
1944	244	16	6.56
1945	199	16	8.04
1946	172	21	12.21
1947	225	17	7.56
1985	11 776	1 792	15.22
1986	10 986	2 209	20.11
1987	12 794	2 397	18.74
1998	28 386	6 636	23.38
1999	29 390	8 051	27.39
2000	26 944	8 243	30.59
2010	52 035	15 349	29.50
2011	55 523	15 240	27.45

注：其中金融企业包括金融、保险、银行和其他控股公司。
资料来源：U. S. Bureau of Economic Analysis(BEA)，http://www.bea.gov/。

附表9　美元发行额与赤字额(1980—2011年)

年份	财政赤字(亿美元)	政府债务总额(亿美元)	政府债务GDP占比(%)	广义货币量M2(亿美元)	广义货币增长率(%)
1980	738.30	11 787.33	42.28	19 860.11	10.679 33
1981	789.70	12 948.24	41.41	22 256.12	12.064 43
1982	1 279.80	15 045.75	46.25	24 488.90	10.032 21
1983	2 078.00	17 407.89	49.25	26 514.44	8.271 26
1984	1 853.70	20 006.85	50.90	29 837.58	12.533 32
1985	2 123.10	23 512.33	55.75	32 312.04	8.293 10
1986	2 212.30	26 403.01	59.20	35 341.44	9.375 45
1987	1 497.30	28 868.35	60.95	36 777.90	4.064 52
1988	1 551.80	31 592.56	61.94	39 275.48	6.790 98
1989	1 526.40	34 103.85	62.21	41 363.90	5.317 36
1990	2 210.40	37 065.33	63.90	42 471.61	2.677 96
1991	2 692.40	40 976.34	68.38	43 108.90	1.500 51
1992	2 903.20	44 862.90	70.74	43 042.87	−0.153 17
1993	2 550.50	48 282.98	72.42	43 299.59	0.596 43
1994	2 031.90	50 717.70	71.58	43 474.81	0.404 67
1995	1 639.50	52 729.04	71.12	46 461.19	6.869 22
1996	1 074.30	55 103.58	70.30	50 115.59	7.865 49
1997	218.80	56 489.37	67.80	54 126.59	8.003 50
1998	−692.70	56 781.74	64.57	59 323.77	9.601 90
1999	−1 256.10	56 909.41	60.84	64 964.59	9.508 53
2000	−2 362.40	54 568.55	54.84	70 233.52	8.110 46
2001	−1 282.40	56 313.81	54.75	75 474.83	7.462 69
2002	1 577.60	60 787.08	57.12	78 792.96	4.396 33

（续表）

年份	财政赤字（亿美元）	政府债务总额（亿美元）	政府债务GDP占比（%）	广义货币量M2（亿美元）	广义货币增长率（%）
2003	3 775.90	67 326.82	60.43	82 312.08	4.466 29
2004	4 127.30	80 921.33	68.27	87 020.86	5.720 64
2005	3 183.50	85 666.01	67.87	94 117.02	8.154 55
2006	2 481.80	89 125.66	66.63	102 611.20	9.025 16
2007	1 607.20	94 217.48	67.16	114 662.40	11.744 46
2008	4 548.20	108 810.89	76.14	124 054.10	8.190 80
2009	14 127.00	125 281.25	89.66	123 166.20	−0.715 75
2010	12 935.00	142 983.64	98.62	120 683.10	−2.016 07
2011	12 956.00	155 173.72	102.93	129 876.20	7.617 59

资料来源：Congressional Budget Office，IMF，世界银行。

附表10 福格尔估算的2000年与2040年全球主要国家GDP及年均增长率

国家/国家联盟	2000年				2040年				2000—2040年平均增长率(%)		
	人口(亿)	占比(%)	GDP(万亿美元PPP)	占比(%)	人口(亿)	占比(%)	GDP(万亿美元PPP)	占比(%)	人口	GDP	人均GDP
美国	2.82	5	9.601	22	3.92	5	41.944	14	0.8	3.8	2.8
欧盟(15国)	3.78	6	9.264	21	3.76	4	15.040	5	0.0	1.2	1.2
印度	10.03	16	2.375	5	15.22	17	36.528	12	1.0	7.1	6.0
中国	13.69	22	4.951	11	14.55	17	123.675	40	0.2	8.4	8.0
日本	1.27	2	3.456	8	1.08	1	5.292	2	-0.4	1.1	1.5
南亚6国/地区	3.81	6	2.552	6	5.16	6	35.604	12	0.8	6.8	6.0
小计	35.4	57	32.199	73	43.69	50	258.083	85	0.5	5.3	4.8
其他国家/地区	25.46	42	12.307	28	43.32	50	49.774	16	1.3	3.6	2.2
全球总计	60.86	99	44.506	101	87.01	100	307.857	101	0.9	5.0	4.0

注：由于四舍五入，所以某些加总不等于100%。

资料来源：Robert Fogel，“Capitalism and Democracy in 2040：Forecasts and Speculations”，NBER Working Paper，No. 13184，2007。

参考文献

Ahluwalia, Montek, "Economic Reforms in India since 1991: Has Gradualism Worked?", *Journal of Economic Perspectives*, 2002, Vol. 16.

Baumd, William J., Panzar, John C. and Willig, Robert D., *Contestable Markets and the Theory of Industry Structure*, New York: Harcourt Brace Jovanovich, 1982.

BEA, "GDP and Other Major NIPA Series, 1929—2012: II", August 2012.

Botttlier, Pieter and Foster, Gail, "Can China's Growth Trajectory Be Sustained?", The Conference Board Research Report, R131007RR, 2007.

Bowles, S. and Eatwell, J., "Between Two Worlds: Interest Groups, Class Structure, and Capitalist Growth", in Mueller, 1983.

Broadberry and O'Rourke, *The Cambridge Economic History of Modern Europe*, Vol. I, 1700—1870, Cambridge: Cambridge University Press, 2010.

Buchanan, J. M., "Reform in the Rent-Seeking Society", in Buchanan, Tollison, and Tullock, 1980b.

Buchanan, J. M., Tollison, R. D. and Tullock, G. (eds.), *Toward a Theory of the Rent-Seeking Society*, College Station: Texas A&M Press, 1980.

Bureau of Economic Analysis, "Personal Income and Outlays October 2012", "Current-Dollar and 'Real' Gross Domestic Product 2012", "Trends in Consumer Spending and Personal Saving, 1959—2009".

C. Xu and Y. Qian, "The M form Hierarchy and China Economic Reform",

European Economic Review，APR 1993，37.

Chandler，Alfred D.，*Scale and Scope*：*The Dynamics of Industrial Capitalism*，Cambridge：Belknap Press，1990.

Coase，Ronald，“The Nature of the Firm”，*Economica*，Vol. 4，No. 16，1937.（中译文：[美]罗纳德·哈里·科斯：《企业的性质》，载《企业、市场与法律》，盛洪、陈郁译校，格致出版社、上海三联书店、上海人民出版社2009年版）

Crozier，M.，*The Bureaucratic Phenomenon*，Chicago：University of Chicago Press，1964.（中译本：[法]米歇尔·克罗齐埃：《科层现象》，刘汉全译，上海人民出版社2002年版）

Demsetz，H. and Alchian，A. A.，“Production，Information Costs，and Economics Organization”，*American Economic Review*，December 1972.

Domar，Evsey，“Capital Expansion，Rate of Growth，and Employment”，*Econometrica*，April 1946，14(2).

Drucker，Peter，*Unseen Revolution*：*How Pension Fund Socialism Came to America*，New York：Harper & Row，1976.（中译本：[美]彼得·F.德鲁克：《养老金革命》，刘伟译，东方出版社2009年版）

Engerman，S. and Gallman，R.（eds.），*Long-Term Factors in American Economic Growth*，Chicago：University of Chicago Press，1986.

Fligstein，Neil，*The Architecture of Markets*：*The Economic Sociology of Twenty-First Century Capitalist Societies*，Princeton，NJ：Princeton University Press.

Fogel，Robert，“Capitalism and Democracy in 2040：Forecasts and Speculations”，NBER Working Paper，No. 13184，2007.

Gao，Bai，*Japan's Economic Dilemma*：*The Institutional Origins of Prosperity and Stagnation*，New York：Cambridge University Press，2001.

Gill，Indermit，et al.，*An East Asian Renaissance*：*Ideas for Economic Growth*，World Bank Publications，2007.

Gorden, Robert, "Is U. S. Economic Growth Over? Faltering Innovation Confronts 2010", NBER Working Paper Series, 2011.

Hage, J. and Garnier, M., "Education and Economic Growth in Germany", in Corwin(ed.), *Research in Education and Stratification*, Volume 9, Greenwich, Conn.: J. A. I. Press, 1990.

Hage, J., Fuller, B. and Garnier, M., "The Active State and the Coupling of Education and Economic Growth: France", *American Sociological Review*, December 1988.

Hall, Peter A. and Soskice, David (eds.), *Varieties of Capitalism: The Institutional Foundations of Comparative Advantage*, New York: Oxford University Press, 2001.

Harrod, Roy F., "An Essay in Dynamic Theory", *The Economic Journal*, March 1939, 49(193).

Hawley, James P. and Williams, Andrew T., "Corporate Governance in the United States: The Rise of Fiduciary Capitalism, a Review of the Literature", prepared for Organization for Economic Cooperation and Development, Graduate Business Programs Saint Mary's College of California, Moraga, California 94575 USA, 1996.

IMF, "World Economic and Financial Surveys", October 2012.

IMF, "World Economic Qutlook Database", October 2012.

Japan Energy Conservation Handbook 2008.

Johnson, Chalmers, *MITI and the Japanese Miracle: The Growth of Industrial Policy, 1925—1975*, Stanford, CA: Stanford University Press, 1982.

Kornai, Janos, *Economics of Shortage*, Amsterdam: North Holland, 1980.(中译本:[匈]亚诺什·科尔内:《短缺经济学》,高鸿业校,经济科学出版社1986年版)

Krueger, A. O., "The Political Economy of the Rent-Seeking Society", *American Economic Review*, June 1974, Vol. 64, reprinted in Buchanan, Tollison and Tullock, 1980.

Kuznets, Simon, "Economic Growth and Income Inequality", *American Economic Review*, 1955, Vol. 5.

Lee, Jong-Wha and Hong, Kiseok, *Economic Growth in Asia: Determinants and Prospects*, unpublished manuscript, Asian Development Bank and Ewha Women's University, September 2010.

Lucas, Robert E., "Ideas and Growth", *Economica*, 2009, Vol. 76(301).

Maddison, Angus, *Chinese Economic Performance in the Long Run: 960—2030 AD*, second edition revised and updated, Paris: OECD, 2009.

Maddison, Angus, *Contours of the World Economy, 1-2030 AD*, New York: Oxford University Press, 2007.

Mueller, D. C. and Murrell, P., "Interest Groups and the Size of Government", *Public Chioce*, 1986, 48(2).

Niskanen, W. A. Jr., *Bureaucracy and Representative Government*, Chicago: Aldine-Atherton, 1971.

Niskanen, W. A. Jr., "Bureaucrats and Politicians", *Journal of Law and Economics*, December 1975, 18.

O'Connor, James, *The Fiscal Crisis of the State*, New York: St. Martin's Press, 1973.

Romer, Paul M., "Increasing Returns and Long Run Growth", *Journal of Political Economy*, October 1986.

Schneider, M., "Fragmentation and the Growth of Local Government", *Public Choice*, 1986, 48(3).

Shonfield, Andrew, *Modern Capitalism: The Changing Balance of Public and Private Power*, London: Oxford University Press, 1965.

Solow, Robert M., "A Contribution to the Theory of Economic Growth", *Quately Journal of Economics*, February 1956.

Solow, Robert M., "Technical Change and the Aggregate Production Function",

The Review of Economics and Statistics, August 1957, Vol. 39, No. 3.

Subramanian, Arvind, *Eclipse: Living in the Shadow of China's Economic Dominance*, Washington, D. C.: Peterson Institute for International Economics, 2011.(中译本:[美]阿文德·萨勃拉曼尼亚:《大预测》,倪颖、曹槟译,中信出版社 2012 年版)

Tullock, Gordon, "The Welfare Costs of Tariffs, Monopolies, and Theft", *Western Economic Journal*, June 1967.

Wallerstein, Immanuel, *The Modern World System*, 3 volumes, NY: Academic Press, 1974, 1980, 1989.

Wallis, J. and North, D., "Measuring the Transaction Sector in the American Economy, 1870—1970", in S. Engerman and R. Gallman (eds.), *Long-Term Factors in American Economic Growth*, Chicago: University of Chicago Press, 1986.

Weber, Max, *Economy and Society*, 2 volumes, Berkeley, CA: University of California Press, 1978.

Whitley, Richard(ed.), *European Business Systems: Firms and Markets in their National Contexts*, London: Sage, 1992b.

Whitley, Richard, *Business System in East Asia: Firms, Markets, and Societies*, London: Sage, 1992a.

Williamson, Oliver, *Economic Institutions of Capitalism*, New York: Free Press, 1985.(中译本:[美]奥利弗·E.威廉姆森:《资本主义经济制度——论企业签约与市场签约》,段毅才、王伟译,商务印书馆 2009 年版)

Wilson, D. and Stupnytska, A., "The N-11: More Than an Acronym", Global Economics Paper, No. 153, Goldman Sachs Economic Research, New York, 2007.

Zysman, John, *Government, Markets and Growth: Financial Systems and the Politics of Industrial Change*, Ithaca, NY: Cornell University Press, 1983.

[美]阿道夫·A.伯利、加德纳·C.米恩斯:《现代公司与私有财产》,甘

华鸣、罗锐韧、蔡如海译，商务印书馆2005年版。

[美]埃里克·弗鲁博顿、[德]鲁道夫·芮切特：《新制度经济学：一个交易费用分析范式》，姜建强、罗长远译，上海三联书店、上海人民出版社2006年版。

[美]埃兹拉·沃格尔（现译名：傅高义——作者注）：《日本名列第一：对美国的教训》，谷英等译，世界知识出版社1980年版。

[日]安场保吉、猪木武德编：《日本经济史》第8卷，连湘译，三联书店1997年版。

[英]安格斯·麦迪森：《世界经济千年史》，伍晓鹰等译，北京大学出版社2003年版。

[英]安格斯·麦迪森：《中国经济的长期表现——公元960～2030年》，伍晓鹰等译，上海人民出版社2008年版。

[美]巴里·埃肯格林、[韩]朴东炫、[韩]申宽浩：《快速增长的经济体何时减速：国际证据及其对中国的启示》，《比较》2012年第2期。

[美]保罗·巴兰、保罗·斯威齐：《垄断资本》，南开大学政治经济学系译，商务印书馆1977年版。

[美]保罗·肯尼迪：《大国的兴衰：1500—2000年的经济变迁与军事冲突》，陈景彪等译，国际文化出版公司2006年版。

[日]大前研一等：《M型社会：中产阶级消失的危机与商机》，刘锦秀、江裕真译，中信出版社2010年版。

[英]戴维·柯茨：《资本主义的模式》，耿修林、宗兆昌译，江苏人民出版社2001年版。

[美]丹尼尔·耶金：《能源重塑世界》，朱玉犇等译，石油工业出版社2012年版。

[美]辜朝明：《大衰退——如何在金融危机中幸存和发展》，喻海翔译，东方出版社2008年版。

[英]哈耶克：《物价与生产》，滕维藻、朱宗风译，上海人民出版社1958年版。

[美]杰里米·里夫金：《第三次工业革命——新经济模式如何改变世界》，张体伟、孙豫宁译，中信出版社2012年版。

[美]莱斯特·R.布朗：《生态经济》，林自新、戢守志译，东方出版社2002年版。

[英]罗伊·哈罗德：《动态经济学》，黄范章译，商务印书馆1981年版。

[美]迈克尔·尤辛：《投资商资本主义：一个颠覆经理职位的时代》，樊志刚等译，海南出版社1999年版。

[美]曼瑟·奥尔森：《国家的兴衰——经济增长、滞胀和社会僵化》，李增刚译，上海人民出版社2007年版。

[美]米尔顿·弗里德曼、罗丝·弗里德曼：《自由选择》，张琦译，机械工业出版社2008年版。

[美]托马斯·弗里德曼：《世界是平的：21世纪简史》，何帆等译，湖南科学技术出版社2006年版。

[美]文森特·奥斯特罗姆、罗伯特·比什、埃莉诺·奥斯特罗姆：《美国地方政府》，北京大学出版社2004年版。

[日]小林义雄：《战后日本经济史》，孙汉超、马君雷译，商务印书馆1985年版。

[法]雅克·阿塔利：《国家的破产》，吴方宇译，北京联合出版公司2011年版。

[美]禹贞恩编：《发展型国家》，曹海军译，吉林出版集团有限责任公司2008年版。

[英]约翰·梅纳德·凯恩斯：《就业、利息和货币通论》，陆梦龙译，中国社会科学出版社2009年版。

[日]中村隆英编：《日本经济史》第7卷，胡企林、胡靖、林华译，三联书店1997年版。

《马克思恩格斯选集》第3卷，人民出版社1995年版。

马克思：《资本论》，人民出版社2004年版。

国际货币基金、世界银行：《金融与发展》，1987年12月中文版。

国际能源署（IEA）：《世界能源展望2007》。

世界银行：《东亚奇迹：经济增长与公共政策》，财政部世界银行业务司译，中国财政经济出版社1995年版。

蔡昉：《如何认识中国收入分配现实：一个求同存异的分析框架》，《比较》2012年第2期。

蔡金水：《人类的曙光——世界新能源正面临革命性的突破》，《参阅文稿》2013年第5期。

曹树梁：《大尺寸黑瓷复合陶瓷太阳能板（上、中、下）》，《调查研究通讯》2009年第9、10、11期。

曹远征等：《重塑国家资产负债能力》，《财经》2012年第15期。

陈贺能：《钍元素：核能开发新思路》，《北京日报》2011年6月29日。

邓英淘：《新发展方式与中国的未来》，上海人民出版社2013年版。

邓英淘：《新能源革命与发展方式跃迁》，上海人民出版社2013年版。

邓英淘：《再造中国，走向未来》，上海人民出版社2013年版。

杜雪君、黄忠华、吴次芳：《中国土地财政与经济增长——基于省际面板数据的分析》，《财贸经济》2009年第1期。

段玉青：《德国职业教育经费保障体系对我国西部职业教育的启示》，《教育财会研究》2012年第2期。

樊亢等编著：《主要资本主义国家经济简史》，人民出版社2001年版。

高丽：《德国职业教育与培训经费的来源》，《世界职业技术教育》2005年第1期。

顾炎武：《顾炎武全集·亭林诗文集》，上海古籍出版社2011年版。

郭开等：《溯天运河——南水北调工程》，《中国统计》1999年第2期。

国家统计局编：《中国统计年鉴2012》，中国统计出版社2012年版。

国务院发展研究中心“中国土地政策改革课题组”：《土地现状解密：土地财政与地方政府》，《财经》2006年第4期。

国务院新闻办公室：《2007年美国的人权纪录》，新华社2008年3月13日。

何祚庥、王亦楠：《风力发电——我国能源和电力可持续发展战略的最现实选择》，《自然辩证法研究》2004年第10期。

黄少安、谢冬水：《“圈地运动”的历史进步性及其经济学解释》，《当代财经》2010年第12期。

韩毓海：《五百年来谁著史：1500年以来的中国与世界》，九州出版社2009年版。

李稻葵、徐翔：《市场机制是中国经济结构调整的基本动力》，《比较》2012年第6期。

李申生：《物理学与太阳能》，广西教育出版社1999年版。

李扬等：《中国主权资产负债表及其风险评估(上、下)》，《经济研究》2012年第6、7期。

林毅夫：《繁荣的求索：发展中经济如何崛起》，张建华译，北京大学出版社2012年版。

林毅夫：《新结构经济学：反思经济发展与政策的理论框架》，苏剑译，北京大学出版社2012年版。

林毅夫、蔡昉、李周：《中国的奇迹：发展战略与经济改革(增订版)》，格致出版社、上海三联书店、上海人民出版社2012年版。

林毅夫等：《新结构经济学文集》，格致出版社、上海人民出版社2012年版。

刘霞辉、张平、张晓晶：《改革年代的经济增长与结构变迁》，格致出版社、上海人民出版社2008年版。

罗放良：《跨越：长沙国企改革“两个置换”纪实》，中国经济出版社2008年版。

马骏、张晓蓉、李治国等：《中国国家资产负债表研究》，社会科学文献出版社2012年版。

马立诚、凌志军：《交锋：当代中国三次思想解放实录》，湖北人民出版社2008年版。

毛志红、杨磊：《2012耕地保护亮点纷呈》，《中国国土资源报》2013年1月18日。

孟捷：《劳动与资本在价值创造中的正和关系研究》，《经济研究》2011年第4期。

欧阳兆标：《现代战争：凸显融合制胜趋势》，《解放军报》2011年9月22日。

钱颖一：《现代经济学与中国经济改革》，中国人民大学出版社2003年版。

任泽平、安风楼：《中国能源消耗的国际比较与节能潜力分析》，《发展研究》2011年第11期。

沈沛龙、樊欢：《基于可流动性资产负债表的我国政府债务风险研究》，《经济研究》2012年第2期。

史正富：《现代企业中的劳动与价值：马克思价值理论的现代拓展》，上海人民出版社2002年版。

史正富、刘昶：《看不见的所有者：现代企业的产权革命》，格致出版社、上海人民出版社2012年版。

史正富主编：《30年与60年——中国的改革与发展》，格致出版社、上海人民出版社2009年版。

王辉耀编：《国际人才蓝皮书：中国留学发展报告2012》，社会科学文献出版社2012年版。

王绍光：《大转型：1980年代以来中国的双向运动》，《中国社会科学》2008年第1期。

吴敬琏：《当代中国经济改革》，上海远东出版社2004年版。

吴敬琏：《吴敬琏自选集（1980—2003）》，山西经济出版社2003年版。

吴敬琏等编：《中国经济50人看三十年——回顾与分析》，中国经济出版社2008年版。

吴思：《潜规则：中国历史中的真实游戏》，复旦大学出版社2009年版。

吴思：《隐蔽的秩序——拆解历史弈局》，海南出版社2004年版。

吴优：《国民资产负债核算与会计资产负债核算的比较与转换》，《统计研究》2002 年第 4 期。

谢旭人：《加快改革财税体制　完善公共财政体系》，《经济日报》2012 年 11 月 20 日。

许耀桐：《救救“白加黑”与“五加二”的官员》，《人民论坛》2009 年第 8 期。

薛京：《林毅夫：任何时期都不能提出以消费拉动经济增长》，《中华建筑报》2012 年 11 月 9 日。

杨志勇、杨之刚：《中国财政制度改革 30 年》，格致出版社、上海人民出版社 2008 年版。

于光远：《试论社会主义生产中的 c、v、m——读〈资产论〉的一个笔记》，人民出版社 1979 年版。

曾晶、张卫兵：《我国农村能源问题研究》，《贵州大学学报(社会科学版)》2005 年第 3 期。

张宏志：《政府履行职业教育职责的国际作为范式及启示》，《教育学术月刊》2011 年第 10 期。

张军：《“双轨制”经济学：中国的经济改革 1978—1992》，上海人民出版社 1997 年版。

张军：《理解中国经济快速发展的机制：朱镕基可能是对的》，《比较》2012 年第 6 期。

张军：《资本形成、投资效率与中国的经济增长——实证研究》，清华大学出版社 2005 年版。

张军、周黎安编：《为增长而竞争：中国增长的政治经济学》，格致出版社、上海人民出版社 2008 年版。

张蔚然：《进入深水区的改革应更敢于调整利益关系》，中新社北京 2012 年 4 月 20 日。

张五常：《中国的经济制度》，中信出版社 2009 年版。

赵启正：《对中国开发区 10 年进展要作实事求是的总结》，《浦东开发》1995 年第 2 期。

赵启正：《浦东逻辑——浦东开放与经济全球化》，上海三联书店2007年版。

中国财政部：《中国会计年鉴2011》，中国财政杂志社2011年版。

中国科学院塔克拉玛干沙漠综合科学考察队：《塔克拉玛干沙漠地区水资源评价与利用》，科学出版社1993年版。

仲玉维、刘春瑞：《高速列车将继续提高速度》，《新京报》2012年4月19日。

周黎安：《中国地方官员的晋升锦标赛模式研究》，《经济研究》2007年第7期。

周黎安：《转型中的地方政府：官员激励与治理》，格致出版社、上海人民出版社2008年版。

周潇枭：《公共财政体制应为改革突破口》，《21世纪经济报道》2012年12月14日。

朱天、张军：《被误读的凯恩斯理论》，《经济观察报》2012年9月24日。

朱维铮：《挨打必因落后？》，载《重读近代史》，中西书局2010年版。

U. S. Bureau of Economic Analysis(BEA)：http://www.bea.gov/

U. S. Census Bureau："Resident Population Data：Population Change"，2010，http://www.census.gov

U. S. Department of the Treasury，"Securities(d)：Holdings of Long-Term Securities"，http://www.treasury.gov/Pages/default.aspx

World Gold Council："Annual time series on World Official Gold Reserves since 1845"，http://www.gold.org/government_affairs/gold_reserves/

标准普尔："S&P/Case-Shiller Home Price Indices"，http://www.standardandpoors.com

国际清算银行网站：http://www.bis.org/statistics/derstats.htm

美国联邦住房金融局数据网站：http://www.fhfa.gov/Default.aspx?Page=70

美联储数据网站：http://www.federalreserve.gov/econresdata/default.htm

日本统计局网站："Historical Statistics of Japan-Gross Domestic Product Classified by Economic Activities-68SNA"，http://www.stat.go.jp/

新加坡政府网站：http://www.gov.sg/government/web/content/govsg/classic/home

国务院：《"十二五"国家战略性新兴产业发展规划》，国发〔2012〕28号，http://www.gov.cn/zwgk/2012-07/20/content_2187770.htm

国务院国有资产监督管理委员会网站：http://www.sasac.gov.cn/n1180/index.html

国土资源部网站：http://www.mlr.gov.cn/

国防部网站：http://www.mod.gov.cn/

农业部网站：http://www.moa.gov.cn/

国家外汇管理局网站：http://www.safe.gov.cn/

国家旅游局网站：http://www.cnta.gov.cn/

财政部预算司网站：http://yss.mof.gov.cn/

中国香港特区政府网站：http://www.gov.hk/sc/residents/

上海证券交易所网站：http://www.sse.com.cn/

昆山统计局：《2011年昆山市国民经济和社会发展统计公报》，2012年，http://www.kstj.gov.cn/

索引

Y

Z

后记

将最后一稿修改文本交给出版社时，我长长地松了一口气。虽然写过的书不多，但以往都是一气呵成、一稿交印；就连与蒋学模先生合作的《政治经济学教材》（第12版），200多页也是20多天即告完成。但是这次，这本名为《超常增长：1979—2049年的中国经济》的小书，却用了我半年之久，前后几易其稿，最终交稿时仍遗憾颇多。

之所以写得艰难，是因为主题太大，问题太多；当我最后通读全书时，对于书中论及能源与生态的那些节、段大感吃惊——怎么会在纯属生产力层面的这些问题上花了如此多的篇幅？

本书的主题，即超常增长，来自去年7月一个夜晚的突发奇想，虽然书稿的酝酿与写作只有半年多时间，但是书中表达的内容却代表了笔者1977年进入复旦大学经济系以来30余年学习思考的成果，也包含自己1995年留学回国、进入企业界工作18年来的观察与感悟。在某种意义上，本书是笔者走出现代经济学范式、进入自主理论建构的真正起点。因此，我将此书献给我生命中最重要的人——翟立，我的妻子、挚友和伙伴。因为与她的相遇、相识、相爱，我得以真正走向自主、自信、自强；因为她的激励与参与，我得以焕发思想活力与创造激情。对我而言，她是上苍的恩赐，是无言的福音。

本书的主要思想与文字均出自笔者，但整个研究工作的完成则得益于我的团队成员——唐毅南、蔡陈菲、勾金海三位的参与。唐毅南承担了书中多项资料的搜寻与计算，而且特为地方政府投资激励的链式反应制图；蔡陈菲不但负责查阅、核对学术文献，协助进行数据、资料搜集与计算，而且高效完成了全书多次修订排版；勾金海则在完成学位论文的紧张日程中挤出时间，就日本战略、环境保护等主题为本书提供背景研究。他们卓有成效的基础工作，为本书达到现在的水准做了支持。

本书的酝酿与写作过程得到张军、刘昶和陈平三位教授自始至终的参与。张军教授特为笔者提供了一份关于现代经济增长的一万多字的背景论文，还组织复旦大学中国经济研究中心为本书举行小型研讨；刘昶教授参与了全书结构的讨论，又特别搜集整理了书中关于经济周期的历史资料，并找出顾炎武关于“寓封建于郡县”这一论点的出处；陈平教授则阅读了本书前后几稿的文字，提出了许多修改建议。他们的意见与评论使本书避免了许多不足。

写作初期，在孟捷教授主持的清华大学政治经济学工作论坛上，我就本书的核心观点作过演讲，得到与会的黄宗智先生、崔之元教授、朱天飚教授等多位学者的肯定与提示，使我受益良多。

本书成稿之后，我又请多位学术界的同仁与友人阅读并提出修改意见，许多人提出了有价值的修改意见。他们是：陈申申、范永进、冯剑松、洪银兴、刘吉、刘莉莉、潘毅、潘英丽、秦绍德、沈联涛、王绍光、韦森、肖耿、尹同跃、张维为、张五常、赵海英、郑永年、周林，在此一并致以诚挚的感谢。

付印之前，北京大学国家发展研究院为我安排了一场小型研讨会，林毅夫、张曙光、姚洋等教授从多角度提出了许多中肯、深刻的评论，让我既深受鼓舞，又进一步明确了研究思路。

最后，也是最关键的，是上海世纪出版集团总裁陈昕同志。没有他的激发和鼓励，本书的写作不会这么快纳入计划；没有他的坚持和督促，本书不会及时完成；没有他的指导和编辑，本书不会达到现在的水准！ 一句“谢谢”发自肺腑。

中国经济高速发展注定成为世界经济史上的大事，中国特色社会主义经济制度的实践，必将成为人类制度史上的重大创新。我能在本书中对这一中国式制度创新有所揭示，除了多年的读书与践行之外，更重要的是工作在第一线的企业家与各级政府官员对我的启示。 在我大约18年的企业管理与企业投资生涯中，从新疆大漠到内蒙古草原，从江浙沿海到中原大地，有幸与数以百计的企业家和政府官员结识、交流、切磋，让我看到了以前不可能想象的新的世界。 他们和普通人一样，有自己的思想、追求、个性，当然也有缺点。 但他们中的大多数以自己超常规的热情和超负荷的工作推动着中国进步！ 他们也是新时代的可爱的人。 本书的许多观点来自对他们实践的现场考察，来自与他们的无数次交流和切磋。 朋友们，你们知道，我无法在此一一点名道谢了。 希望有一天，你们的人生经历与故事能与大家分享。 此处，请允许我以改革的名义向你们致敬吧！ 是的，向一切心系中国发展的人们和一切为实现“中国梦”作出贡献的人们致敬！

史正富

2013年3月24日凌晨

于上海浦东·文愚斋

图书在版编目（CIP）数据

超常增长:1979～2049年的中国经济/史正富著.
—上海：上海人民出版社,2016
（世纪中国论坛典藏文库）
ISBN 978-7-208-13990-9

Ⅰ.①超… Ⅱ.①史… Ⅲ.①中国经济－经济增长－研究－1979—2049 Ⅳ.①F124

中国版本图书馆CIP数据核字(2016)第174102号

责任编辑　鲍　静
封面装帧　陈　楠

·世纪中国论坛典藏文库·
超常增长:1979—2049年的中国经济
史正富 著
世纪出版集团
上海人民出版社出版
（200001　上海福建中路193号　www.ewen.co）
世纪出版集团发行中心发行
上海中华印刷有限公司印刷
开本720×1000　1/16　印张13.75　插页4　字数146,000
2016年8月第1版　2016年8月第1次印刷
ISBN 978-7-208-13990-9/F·2394
定价 48.00元